# CONTEÚDO DIGITAL PARA ALUNOS
Cadastre-se e transforme seus estudos em uma experiência única de aprendizado:

**1** Entre na página de cadastro:
https://sistemas.editoradobrasil.com.br/cadastro

**2** Além dos seus dados pessoais e dos dados de sua escola, adicione ao cadastro o código do aluno, que garantirá a exclusividade do seu ingresso à plataforma.

2681745A4421627

**3** Depois, acesse: https://leb.editoradobrasil.com.br/
e navegue pelos conteúdos digitais de sua coleção :D

*Lembre-se de que esse código, pessoal e intransferível, é valido por um ano. Guarde-o com cuidado, pois é a única maneira de você acessar os conteúdos da plataforma.*

Editora do Brasil

# AKPALÔ
## HISTÓRIA

**Rosiane de Camargo**
- Licenciada em História pela Universidade Federal do Paraná (UFPR)
- Pós-graduada em História do Brasil pela Faculdade Padre João Bagozzi
- Autora de materiais didáticos

**Wellington Santos**
- Bacharel em História pela Universidade de São Paulo (USP)
- Autor e editor de materiais didáticos

3º ANO
Ensino Fundamental
Anos Iniciais

HISTÓRIA

Palavra de origem africana que significa "contador de histórias, aquele que guarda e transmite a memória do seu povo".

São Paulo, 2019
4ª edição

**Dados Internacionais de Catalogação na Publicação (CIP)**
**(Câmara Brasileira do Livro, SP, Brasil)**

Camargo, Rosiane de
 Akpalô história, 3º ano / Rosiane de Camargo,
Wellington Santos. – 4. ed. – São Paulo: Editora do Brasil,
2019. – (Coleção akpalô)

 Bibliografia.
 ISBN 978-85-10-07412-4 (aluno)
 ISBN 978-85-10-07413-1 (professor)

 1. História (Ensino fundamental) I. Santos, Wellington.
II. Título. III. Série.

19-26774                                             CDD-372.89

**Índices para catálogo sistemático:**
1. História : Ensino fundamental    372.89
Maria Alice Ferreira – Bibliotecária – CRB-8/7964

4ª edição / 3ª impressão, 2024
Impresso no Parque Gráfico da Pifferprint

Avenida das Nações Unidas, 12901
Torre Oeste, 20º andar
São Paulo, SP – CEP: 04578-910
Fone: +55 11 3226-0211
www.editoradobrasil.com.br

© Editora do Brasil S.A., 2019
*Todos os direitos reservados*

**Direção-geral:** Vicente Tortamano Avanso

**Direção editorial:** Felipe Ramos Poletti
**Gerência editorial:** Erika Caldin
**Supervisão de arte e editoração:** Cida Alves
**Supervisão de revisão:** Dora Helena Feres
**Supervisão de iconografia:** Léo Burgos
**Supervisão de digital:** Ethel Shuña Queiroz
**Supervisão de controle de processos editoriais:** Marta Dias Portero
**Supervisão de direitos autorais:** Marilisa Bertolone Mendes

**Supervisão editorial:** Priscilla Cerencio
**Coordenação pedagógica:** Josiane Sanson
**Edição:** Mariana Tomadossi
**Assistência editorial:** Felipe Floriano Adão e Ivi Paula Costa da Silva
**Copidesque:** Gisélia Costa, Ricardo Liberal e Sylmara Beletti
**Revisão:** Elis Beletti
**Pesquisa iconográfica:** Odete Pereira e Priscila Ferraz
**Assistência de arte:** Letícia Santos e Samira de Souza
**Design gráfico:** Estúdio Sintonia e Patrícia Lino
**Capa:** Megalo Design
**Imagens de capa:** FatCamera/iStockphoto.com, kali9/iStockphoto.com e michaeljung/iStockphoto.com
**Ilustrações:** Carlos Seribelli, Dam Ferreira, Desenhorama, Edson Farias, Eduardo Belmiro, Erik Malagrino, Fabio Nienow, Hugo Araújo, Ilustra Cartoon, Kau Bispo, Marcos de Mello, Paula Haydee Radi, Simone Matias (abertura de unidades) e Victor Tavares
**Produção cartográfica:** DAE (Departamento de Arte e Editoração)
**Coordenação de editoração eletrônica:** Abdonildo José de Lima Santos
**Editoração eletrônica:** Adriana Tami, Armando F. Tomiyoshi, Elbert Stein, Gilvan Alves da Silva, José Anderson Campos, Sérgio Rocha, Talita Lima, Viviane Yonamine, William Takamoto e Wlamir Miasiro
**Licenciamentos de textos:** Cinthya Utiyama, Jennifer Xavier, Paula Harue Tozaki e Renata Garbellini
**Controle de processos editoriais:** Bruna Alves, Carlos Nunes, Rafael Machado e Stephanie Paparella

## Querido aluno,

O tema principal deste livro são as comunidades. Primeiro, você refletirá sobre a organização das comunidades e a importância delas em nossa vida.

Depois, conhecerá a história, os costumes e a organização de algumas comunidades tradicionais. Estudaremos as diferentes moradias, os municípios, sua organização e características.

Em seguida, você fará uma viagem no tempo para conhecer as primeiras vilas e cidades brasileiras.

Para que participe da comunidade como cidadão responsável, você aprenderá também o que é a boa convivência, conhecerá diferentes culturas e quais são seus direitos e deveres.

Assim compreenderá que o respeito, a tolerância, a cooperação e a participação são atitudes indispensáveis para viver bem em sociedade. A fim de que tudo isso se torne realidade, a coleção oferece muitas informações, apresentadas em imagens, textos e atividades.

Espero que você aproveite bastante esta viagem pela história do passado e do presente para que possa influenciar o futuro e ajudar a construir a cada dia um mundo melhor.

Conhecer o passado é manter viva a memória. Participar do presente é dever de todos para garantir um futuro brilhante.

Os autores

# Sumário

## UNIDADE 1
### A vida em grupos .......................... 6

**Capítulo 1:** Viver juntos ......................... 8
Trilha da convivência................................8
A convivência............................................9

**Capítulo 2:** As minhas, as nossas comunidades........................................ 14
A comunidade escolar...................................14
Eu faço parte... .............................................15
- #Digital: Fotografando a comunidade........................................16
Comunidades de imigrantes........................17

**Capítulo 3:** Histórias compartilhadas...... 20
Brincando com a nossa memória ..................20
A minha, a sua, as nossas memórias ............21
- Hora da leitura: As matérias dos jornais...................................26
- História em ação: O Museu da Periferia....27
- Revendo o que aprendi .......................28
- Nesta unidade vimos ...........................30
- Para ir mais longe ................................31

## UNIDADE 2
### A vida no campo .......................... 32

**Capítulo 1:** Em contato com a terra....... 34
Sua comunidade no campo ..........................34
Viver do que vem da terra.............................35

**Capítulo 2:** As comunidades tradicionais ............................................. 40
Brincar lá fora................................................40
As comunidades indígenas ............................41
A comunidade ribeirinha e a pantaneira ......43
As comunidades quilombolas........................44

**Capítulo 3:** Paisagens sertanejas ............ 48
Uma paisagem brasileira ...............................48
Paisagens diversas .........................................49
Quando a chuva não vem... ..........................50
- Hora da leitura: Chico Bento: um menino do campo........................56
- História em ação: Regularização quilombola ............................................57
- Como eu vejo: Reciclagem de alumínio ....58
- Como eu transformo: Colaborando para a coleta seletiva ................................60
- Revendo o que aprendi .............................61
- Nesta unidade vimos ..................................64
- Para ir mais longe ......................................65

## UNIDADE 3
### A construção das cidades............ 66

**Capítulo 1:** Cidade para todos ............. 68
A sua cidade ................................. 68
A vida na cidade............................. 69
As diferentes cidades brasileiras ................... 70
O vaivém nas grandes cidades...................... 71
Cidades do passado e do presente................ 72

**Capítulo 2:** Perto da fábrica… ............. 76
Uma cidade é criada........................... 76
No ritmo das fábricas......................... 77
Fábrica, trabalhadores e cidade ..................... 78
Da fábrica ao município........................... 81

**Capítulo 3:** A história das cidades .......... 84
Retrato da minha cidade .............................. 84
As cidades têm histórias............................. 85
O uso dos espaços da cidade ......................... 86
▸ #Digital: Os patrimônios da cidade ....... 87
Trabalho e lazer na cidade ..................... 88
▸ Hora da leitura: Um novo comércio para uma nova cidade ................................. 92
▸ História em ação: A restauração de prédios antigos ........................... 93
▸ Revendo o que aprendi ..................... 94
▸ Nesta unidade vimos ........................... 96
▸ Para ir mais longe ............................. 97

## UNIDADE 4
### A organização do município........ 98

**Capítulo 1:** Vivemos no município ....... 100
O lugar onde moro .......................... 100
O município ................................. 101

**Capítulo 2:** Os poderes municipais....... 106
A administração do município .................... 106
Quem administra o município?.................... 107

**Capítulo 3:** A formação dos municípios ................................. 112
O município visto de cima ........................... 112
História dos municípios................................. 113
A expansão do povoamento ........................ 115
As primeiras câmaras municipais.................. 117
Os grupos sociais em formação .................... 118
▸ Hora da leitura: A importância das leis... 122
▸ História em ação: Mapas são fontes históricas ........................... 123
▸ Como eu vejo: As necessidades do município ............................. 124
▸ Como eu transformo: Estudando meu município ............................. 126
▸ Revendo o que aprendi ..................... 127
▸ Nesta unidade vimos ........................... 130
▸ Para ir mais longe ............................. 131

**Atividades para casa ............................. 132**
Unidade 1 ................................. 132
Unidade 2 ................................. 135
Unidade 3 ................................. 138
Unidade 4 ................................. 141

**Datas comemorativas........................ 144**
Páscoa ................................. 144
Dia do Índio – 19 de abril ............................. 145
Dia do Estudante – 11 de agosto ....................... 147
Dia do Folclore – 22 de agosto .................... 148

**Encartes ................................. 150**

# UNIDADE 1
# A vida em grupos

- O que está sendo mostrado na imagem?
- Uma festa como essa pode acontecer em qualquer lugar do Brasil? Explique sua resposta.
- Para você, o que quer dizer "viver em grupo" e como isso se relaciona com a imagem?

# CAPÍTULO 1
## Viver juntos

## Trilha da convivência

1. Nas páginas 150 e 151 deste livro há um jogo de tabuleiros. Chame de um a três amigos para brincar com você. Jogue o dado e caminhe o número de casas indicado nele. Se cair em uma casa com texto, leia a orientação e faça o que se pede.

Desenhorama

2. Após terminar o jogo, responda:

   a) Qual é a importância de viver com outras pessoas?

   b) Como podemos colaborar para que todos convivam bem?

# A convivência

Ao viver em sociedade, convivemos com muitas pessoas, em diferentes situações.

O convívio com outras pessoas possibilita a troca de informações e experiências. Em grupo, aprendemos e ensinamos constantemente. Podemos perceber como isso ocorre na sala de aula com base nas relações entre você, o professor e os demais colegas. Essa **interação** acontece quando partilhamos os mesmos espaços com as pessoas a nossa volta.

**Glossário**

Interação: contato, diálogo e comunicação entre pessoas que convivem.

Os grupos de convívio podem ser de diversos tipos. Observe alguns exemplos:

▶ Família prepara o jantar. São Caetano do Sul, São Paulo.

▶ Comunidade indígena barasana pratica ritual de oferenda de frutas. Manaus, Amazonas.

▶ Trabalhadores rurais colhem maçãs. Fraiburgo, Santa Catarina.

▶ Pessoas passeiam de bicicleta. Itupeva, São Paulo.

Há milhares de anos, os seres humanos passaram a viver em grupo, formando diferentes comunidades e sociedades. Essa organização possibilitou às pessoas melhores condições de sobrevivência. Assim, os objetivos comuns de um grupo podiam ser alcançados com menos dificuldade.

## Formas de interação

Observe as fotografias a seguir. Por qual motivo você imagina que essas pessoas se aproximaram ou escolheram estar juntas?

▶ Grupo religioso em festa de Iemanjá. Salvador, Bahia.

▶ Torcedores em jogo de futebol. Rio de Janeiro, Rio de Janeiro.

Os seres humanos interagem e se agrupam por diferentes motivos. Pode ser por ligações afetivas, laços familiares, proteção e cuidado, alimentação, uso do mesmo espaço, crenças, profissão, aprendizagem, interesses em comum e muitos outros motivos. Esses agrupamentos são chamados de comunidades.

## Um pouco mais sobre

### As formas de se comunicar

A convivência proporcionou aos primeiros grupos humanos a capacidade de se comunicar por meio de diversos tipos de **linguagem**.

Esses grupos desenvolveram gestos, palavras, desenhos e, com o passar do tempo, inventaram a escrita. Assim, existem hoje diferentes formas de comunicação.

**Glossário**

**Linguagem:** conjunto de sinais usados na comunicação humana, como a fala, os gestos, a pintura e a escrita. Por meio da linguagem demonstramos ideias e sentimentos e entendemos o pensamento dos outros.

**1** Observe a imagem e faça o que se pede.

a) Circule de **azul** as situações em que a fala é usada na comunicação.

b) Circule de **verde** a situação em que a comunicação é feita por meio de símbolos.

# Atividades

1. Observe a imagem e responda às questões.

▶ Mara D. Toledo. *Começando a colheita de cacau*, 2014. Óleo sobre tela, 60 cm × 90 cm.

a) Em que atividade a maioria das pessoas está trabalhando?

_____

b) Que característica aproxima as pessoas desse grupo?

_____

c) Em sua opinião, o trabalho representado na imagem é desenvolvido por grupos que moram no campo ou na cidade? Explique.

_____

_____

d) A atividade retratada parece prejudicial à natureza? Explique.

**2** Observe as imagens abaixo e faça o que se pede.

a) Identifique o tipo de comunidade que está representado em cada imagem.

Imagem 1: _____

Imagem 2: _____

Imagem 3: _____

Imagem 4: _____

b) Escolha um dos grupos retratados acima e responda: O que os membros dele fazem quando estão reunidos?

_____

_____

c) Agora escolha um grupo do qual você participa e conte aos colegas o que você faz nele.

**3** No caderno, escreva as atividades que você faz durante a semana e com quais grupos sociais.

# CAPÍTULO 2
## As minhas, as nossas comunidades

## A comunidade escolar

Você e seus colegas fazem parte da turma do 3º ano. Sua turma, as outras turmas, os professores e todos os funcionários da escola fazem parte da comunidade escolar.

Vamos criar um painel ilustrativo de sua turma?

### Material:
- papel sulfite de 15 cm × 15 cm;
- uma fotografia sua de 10 cm × 10 cm ou um autorretrato.

### Como fazer

1. Marque o meio do quadrado do papel com um ponto.

2. Dobre todas as pontas até encontrar o ponto marcado.

3. Desdobre deixando apenas a marca do quadrado no meio.

4. Cole sua fotografia ou o desenho de seu rosto.

5. Depois de pronto, junte-se com os colegas e colem os retratos de cada um em um painel ou mural, organizando as imagens da turma.

Ilustrações: Desenhorama

# Eu faço parte...

Você já percebeu que podemos participar de muitas comunidades ao mesmo tempo?

Em cada uma delas, praticamos diferentes atividades.

Observe o exemplo de Robson. Ele tem 8 anos e, assim como nós, participa de diversas comunidades.

### Fotografando a comunidade

Na cidade ou região em que você vive há locais que pertencem a todos da comunidade: são os espaços públicos. Em muitos desses espaços existem construções consideradas importantes para a história da comunidade. Que tal conhecer melhor algumas delas? Siga as etapas abaixo.

1. Separe uma câmera fotográfica ou outro aparelho capaz de registrar imagens.
2. Acompanhado de um adulto, fotografe construções, monumentos ou outros espaços que você considere importantes para a comunidade.
3. Escolha suas fotografias favoritas, crie uma legenda para cada uma delas e entregue ao professor. Ele organizará todas as imagens para fazer uma exposição.
4. No dia marcado para a exposição, apresente os locais e espaços que você associou a sua história e à história da comunidade e aproveite para apreciar o que seu colega fez!

# Comunidades de imigrantes

Quando mudamos de casa ou de escola, passamos a fazer parte de outras comunidades. Isso acontece também com pessoas que mudam de país. Ao longo do tempo, muitos japoneses, italianos, libaneses e bolivianos, por exemplo, deixaram seus países para viver no Brasil.

Ainda hoje é comum que grupos de **imigrantes** cheguem ao país por diferentes motivos. Um dos exemplos de imigração para o Brasil são as pessoas vindas da Síria.

**Glossário**

**Imigrante:** indivíduo que nasceu em determinado país e vive em outro.

Em 2011, a Síria vivenciou o início de uma guerra civil. Muitos sírios, fugindo dessa guerra, mudaram-se para o Brasil. Quando chegaram aqui, esses imigrantes conheceram uma nova cultura e passaram a participar de novas comunidades.

Os imigrantes trazem os costumes de seu local de origem. Muitos dos costumes sírios foram compartilhados com os brasileiros, como a alimentação.

Ao se estabelecerem no Brasil, alguns imigrantes sírios abriram restaurantes em que são servidos alimentos tradicionais da cultura deles, como esfihas, lanches e doces típicos. Com o tempo, esses alimentos também passaram a fazer parte do cardápio de muitos brasileiros.

As crianças sírias, por exemplo, tiveram de aprender português, frequentar uma escola com práticas diferentes das que estavam acostumadas, aprender novas brincadeiras e conhecer novos amigos.

Dessa maneira, elas passaram a conviver em algumas comunidades das quais os brasileiros também fazem parte, além de formar outras comunidades.

▶ Família de imigrantes sírios no Brasil. São Paulo.

## Atividades

**1** Leia o texto e, em seguida, faça o que se pede.

Marcelo se sentia muito amado pelo avô Joaquim e pelas duas avós, Eloína e Odila.

Como era gostoso ajeitar-se no colo dos três e ganhar cafuné, conselhos e palavras de amor.

Vó Odila tinha o delicioso hábito de afundar seus dedos nos cabelos de Marcelo e massagear a cabeça do neto.

Já a vó Eloína gostava mesmo é de fazer cócegas na barriga de Marcelo.

E o vô Joaquim, que, com sua altura, mais lembrava um jogador de basquete, falava com calma e enorme carinho.

Cada um com seu jeito de amar.

Jonas Ribeiro. *Uma ilha a mil milhas daqui*. São Paulo: Editora do Brasil, 2014. p. 5, 6 e 7.

a) Marque com **X** o item que indica a comunidade descrita no texto.

☐ escolar   ☐ religiosa   ☐ familiar

b) Quem são os personagens que compõem a comunidade?

_____

_____

c) Quais são as principais características dessa comunidade que podem ser identificadas no texto? Explique.

_____

_____

**2** Observe a imagem e faça o que se pede.

a) Qual comunidade está representada na fotografia?

b) Que característica dessa comunidade mais chamou sua atenção?

▶ Escola pública às margens do Rio Amazonas, no município de Careiro da Várzea, Amazonas.

**3** Assinale as afirmativas corretas.

☐ Comunidade é um grupo de pessoas que partilham interesses comuns.

☐ Para que as pessoas possam participar de determinada comunidade, elas devem morar na mesma rua.

☐ Família, amigos e moradores de um mesmo município são exemplos de comunidade.

**4** Pinte de **verde** os quadradinhos que indicam as afirmativas corretas e de **vermelho** os que indicam as incorretas.

☐ Todos nós podemos viver muito bem sozinhos, pois não precisamos de ninguém.

☐ Todos nós participamos de várias comunidades e, nelas, aprendemos a conviver e a partilhar conhecimento.

☐ Convivemos em grupos para nos divertir, estudar, praticar esportes e fazer outras atividades.

**5** Escreva o nome das pessoas que compõem sua comunidade familiar.

_____

## CAPÍTULO 3
# Histórias compartilhadas

## Brincando com a nossa memória

Você se lembra do primeiro dia de aula deste ano? O que aconteceu? Quais foram os eventos mais marcantes? Como você se sentiu?

Vamos criar uma narrativa desse dia?

**1** O professor irá organizá-los em círculo.

**2** Para começar, cada aluno irá retirar uma pergunta da caixa de perguntas que o professor trará e elaborar uma resposta. Assim, cada um vai contar um pouquinho do primeiro dia de aula e, juntos, vão criar uma narrativa coletiva.

**3** Ao final do trabalho com a turma, escolha o *emoji* da página 159 que represente como você se sentiu naquele dia. Recorte-o, mostre-o aos colegas e depois explique por que se sentiu daquela forma.

# A minha, a sua, as nossas memórias

As pessoas podem fazer relatos interessantes dos lugares em que vivem ou viveram. Esses relatos são construídos com base nas memórias delas.

Leia o relato do senhor Amadeu. Ele conta um pouco como era a vida no bairro onde nasceu e viveu.

Nasci no Brás, [...] no dia 30 de novembro de 1906. [...]

Nesse tempo não existia luz elétrica na rua, só lampiões de **querosene**. Em casa também, os lampiões eram pendurados na sala, no quintal e na cozinha. Só quando eu tinha dez anos é que veio a luz elétrica [...].

Na frente da casa passavam os vendedores de castanha, cantarolando. E o *pizzaiolo* com latas enormes, que era muito engraçado e vendia o produto dele cantando. As crianças iam atrás. A rua não tinha calçada. Elas ficavam à vontade nas ruas antigas. Eram ruas de lazer, porque não tinham movimento, e crianças tinham demais. Em São Paulo, nos **terrenos baldios** grandes, sempre se faziam parques para a meninada. Meus irmãos jogavam futebol na rua. Tínhamos um clube, formado por nós, chamado Carlos Garcia.

Ecléa Bosi. *Memória e sociedade: lembranças de velhos*. São Paulo: Companhia das Letras, 2016. p. 124-125.

## Glossário

**Querosene:** produto utilizado como combustível para lampiões e para alguns aviões.

**Terrenos baldios:** terrenos abandonados, sem manutenção. Muitas vezes são utilizados indevidamente como áreas de descarte de lixo e entulho.

# Onde encontrar a história?

A disciplina que estudamos para compreender a vida das comunidades no passado é chamada de História. Ao estudar História, as pessoas procuram entender as ações dos seres humanos em diferentes épocas e lugares.

Há muitas formas de estudar História. Ver fotografias, roupas e móveis antigos, ler cartas, ouvir canções e entrevistar pessoas são alguns dos modos de investigar os vestígios do passado. Tudo que pode fornecer informações sobre o passado é chamado de **fonte histórica** pelos historiadores.

## Glossário

**Vestígio:** indícios que podem trazer informações sobre a vida das pessoas no passado.

Relatos como o do senhor Amadeu ajudam a resgatar informações sobre o passado das pessoas e das comunidades onde vivem. Assim, o conjunto de relatos de moradores de um bairro, por exemplo, pode ser muito importante para a compreensão da história daquele lugar.

## Pesquisa histórica

### O patrimônio cultural de seu bairro

Todos os bairros têm história, passado e **patrimônio cultural** próprios.

Esses patrimônios estão ligados a acontecimentos da história local e foram preservados por pessoas da comunidade.

**Glossário**

**Patrimônio cultural:** conjunto de bens (festas, monumentos, edifícios, objetos) considerados importantes para a cultura de uma comunidade.

Com o reconhecimento dos patrimônios do bairro onde moramos, podemos compreender parte da história das pessoas que formaram a comunidade e nossa identidade.

Vamos conhecer um pouco do patrimônio cultural do bairro?

Você precisará da ajuda de um adulto.

1. Escolha uma construção que seja considerada importante para a história do bairro, ou um ambiente natural, ou ainda uma festa que é realizada onde você mora.
2. Acompanhado de um adulto, filme ou fotografe o patrimônio que você escolheu.
3. Depois, entreviste alguns adultos e pergunte a cada um:
   - Você nasceu neste bairro?
   - Qual é a importância desse patrimônio para você?
   - Como esse patrimônio está ligado à história do bairro?
4. Compartilhe as informações que você descobriu com os colegas.

# Atividades

1. O historiador Renato entrevistará dona Ângela, moradora do bairro Vila Isabel, no Rio de Janeiro. Depois, ele analisará o álbum de fotografias de João, antigo membro da escola de samba do bairro. Com base nessas informações, responda:

   a) De que modo a entrevista de dona Ângela pode auxiliar o trabalho de Renato?

   b) Que tipo de informações Renato pode obter ao analisar as fotografias do senhor João?

2. Assinale nas imagens os itens que podem ser considerados fontes históricas.

Ilustrações: Dam Ferreira

3. O que é memória?

   _____

   _____

4. Qual é a importância da memória para o estudo da História?

   _____

   _____

**5** Observe a gravura, leia a legenda e faça o que se pede.

▶ Coleta de doações para a Igreja do Rosário, Porto Alegre. Gravura de Jean-Baptiste Debret publicada no livro *Viagem pitoresca e histórica ao Brasil*, 1839.

a) De quais comunidades essas pessoas poderiam participar?

☐ família  ☐ grupos de trabalho  ☐ vizinhança

b) De que outras comunidades essas pessoas poderiam fazer parte?

_____

_____

c) A imagem pode ser considerada uma fonte histórica? Explique.

_____

_____

**6** Além dos relatos pessoais, onde mais os historiadores podem encontrar informações sobre o passado?

_____

_____

## Hora da leitura

### As matérias dos jornais

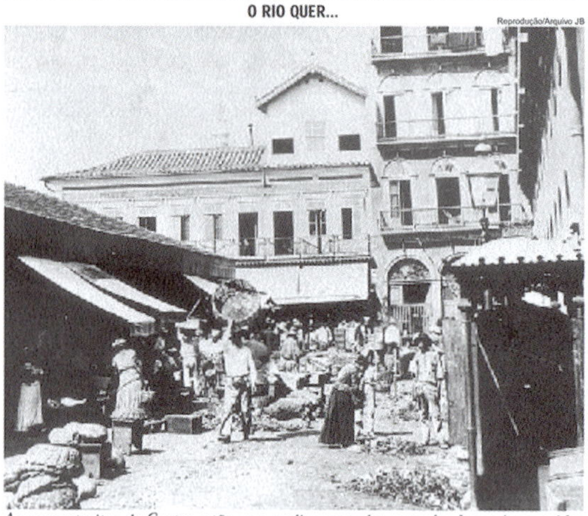

Os textos de jornais podem fornecer informações importantes sobre o passado, assim como as fotografias e legendas.

Veja este recorte de jornal antigo:

▶ *Jornal do Século*, 1903.

**1** O que mostram as imagens do jornal?

**2** Observe os títulos das matérias e as legendas das fotografias. Em seguida, responda: Que mudanças são relatadas no jornal?

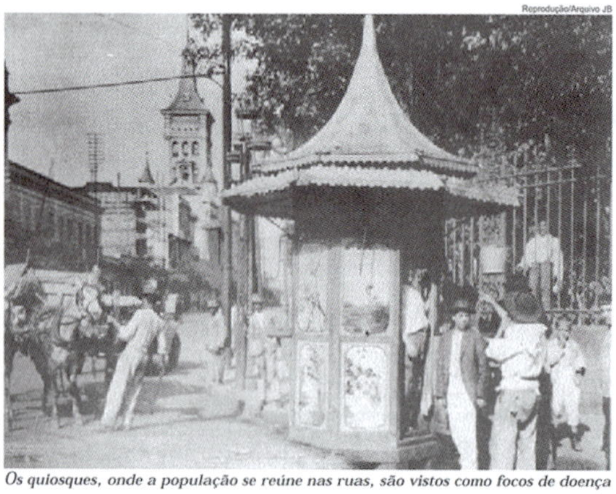

# HISTÓRIA em ação

## O Museu da Periferia

No Brasil existem grandes museus com características bem diferentes.

Alguns preservam documentos e objetos que, ao serem analisados, possibilitam contar a história de nosso país. Outros se preocupam com a história de lugares específicos, como os bairros.

Em Curitiba, no estado do Paraná, há o Museu da Periferia, que preserva a história das vilas que formam o Sítio Cercado, um bairro da cidade. Veja:

Ao ser fundado, em 2011, o Mupe – Museu da Periferia – parecia não mais do que uma iniciativa curiosa, dentre as muitas surgidas nos **arrabaldes** de Curitiba. [...] Iniciativa dos líderes comunitários Palmira de Oliveira e Marcelo Rocha, a instituição está hoje integrada à rotina do bairro Sítio Cercado.

A ideia de criá-lo começou a se desenhar em 2009, quando teve início o programa federal Pontos de Memória, do Instituto Brasileiro de Museus. Criadores do Museu da Maré e Museu da Favela – ambos no Rio de Janeiro – visitaram o Sítio Cercado, deixando nos moradores o desejo de encontrar um lugar para preservar a memória dos bairros mais distantes. A primeira exposição, em dezembro de 2011, tratava da luta pela moradia.

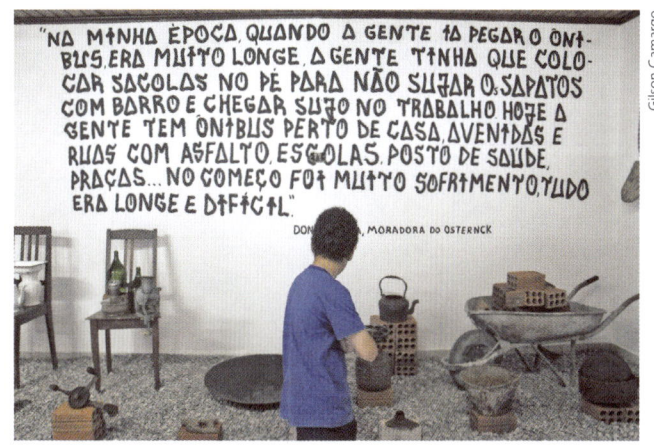

▶ Museu da Periferia (Mupe). Curitiba, Paraná.

**Glossário**

**Arrabaldes:** arredores de uma cidade.

José Carlos Fernandes. Museu da Periferia preserva a memória da habitação popular. *Gazeta do povo*. Disponível em: <www.gazetadopovo.com.br/vida-e-cidadania/museu-da-periferia-preserva-a-memoria-da-habitacao-popular-e75hegxc31b97hni70x9c62m4>. Acesso em: 16 abr. 2019.

# Revendo o que aprendi

**1** Observe as ilustrações e faça o que se pede.

_____   _____

_____   _____

_____   _____

_____   _____

a) Escreva uma legenda para identificar cada grupo retratado.

b) O que as figuras representam?

◯ Famílias.  ◯ Escolas.  ◯ Comunidades.

**2** Jia migrou da China para o Brasil e terá de vivenciar muitos desafios para se adaptar ao nosso país.

a) Reúna-se com os colegas e, juntos, elaborem uma explicação para ela de quais são os desafios e os benefícios de viver no Brasil.

b) Em sua opinião, quais são as contribuições que Jia pode trazer para o grupo escolar do qual fará parte?

**3** Leia o texto e faça o que se pede.

> O Haiti é um país pequeno se comparado ao Brasil [...]. Mas lá vivem quase 10 milhões de pessoas que sofrem com a falta de serviços básicos como água, luz, energia elétrica, comida e Educação[...]. Foi de lá que vieram Harolson e Jocelyn, de 11 anos. [...]
>
> Uma vez no Brasil, as crianças têm de começar ou continuar os estudos. Harolson e Jocelyn conseguiram vaga na EE Presidente Roosevelt, na região central de São Paulo, e convivem com colegas das mais variadas nacionalidades. [...]
>
> No caso das crianças, a chegada à escola acontece em meio a um complexo momento de mudanças: um novo país, idioma estrangeiro, regras estranhas e um currículo ainda desconhecido.
>
> Ana Rachel Ferreira. O Haiti é aqui: imigrantes nas escolas públicas brasileiras. *Nova Escola*, 2015. Disponível em: <https://novaescola.org.br/conteudo/8363/o-haiti-e-aqui>. Acesso em: 14 mar. 2019.

a) Circule de **azul**, no texto, o nome do país de origem de Harolson e Jocelyn.

b) Quais eram os desafios vivenciados por Harolson e Jocelyn no país de origem e quais são os desafios vivenciados por eles no Brasil?

## Nesta unidade vimos

Vivemos em grupos que formam comunidades.

As primeiras comunidades foram formadas há milhares de anos.

Podemos fazer parte de diversas comunidades ao mesmo tempo.

A história de uma comunidade pode ser resgatada pelos relatos de memória dos membros dela, por documentos escritos, pelas construções e por muitas outras formas de registro.

**Para finalizar, responda:**
- De quais comunidades você faz parte e por quê?
- Para você, o que quer dizer viver em grupo?
- As comunidades têm história? Caso tenham, como a história delas pode ser contada?

## Para ir mais longe

### Livros

▶ **Seu Gentil**, de Regina Rennó (Editora do Brasil).

O livro aborda o tema "convivência" lembrando que, para se conviver em harmonia, é preciso respeitar os outros e ser gentil.

▶ **O bairro de Marcelo**, de Ruth Rocha (Salamandra).

Um livro que conta o passeio de Marcelo e sua família pelo bairro onde moram. Com isso, o personagem passa a conhecer uma comunidade com mais pessoas – o bairro.

▶ **Uma escola assim, eu quero pra mim**, de Elias José (FTD).

Rodrigo viveu no campo e foi estudar em uma escola da cidade. Com essa história, você vai aprender a respeitar a opinião e o jeito das pessoas, regra muito importante para se viver em sociedade.

▶ **O que é viver em sociedade?**, de Oscar Brenifier (Editora Dinalivro).

Um livro feito especialmente para crianças que vai ensinar a importância das regras na sociedade e muitas outras questões relacionadas aos grupos de convivência.

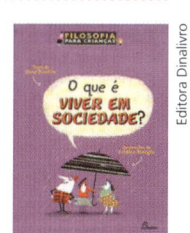

### Filme

▶ **FormiguinhaZ**. EUA, 1998. Direção: Eric Darnell e Tim Johnson, 79 min.

O filme aborda os problemas que uma comunidade de formigas enfrenta e a tentativa de um dos personagens em estabelecer uma relação com o mundo.

UNIDADE 2

# A vida no campo

Simone Matias

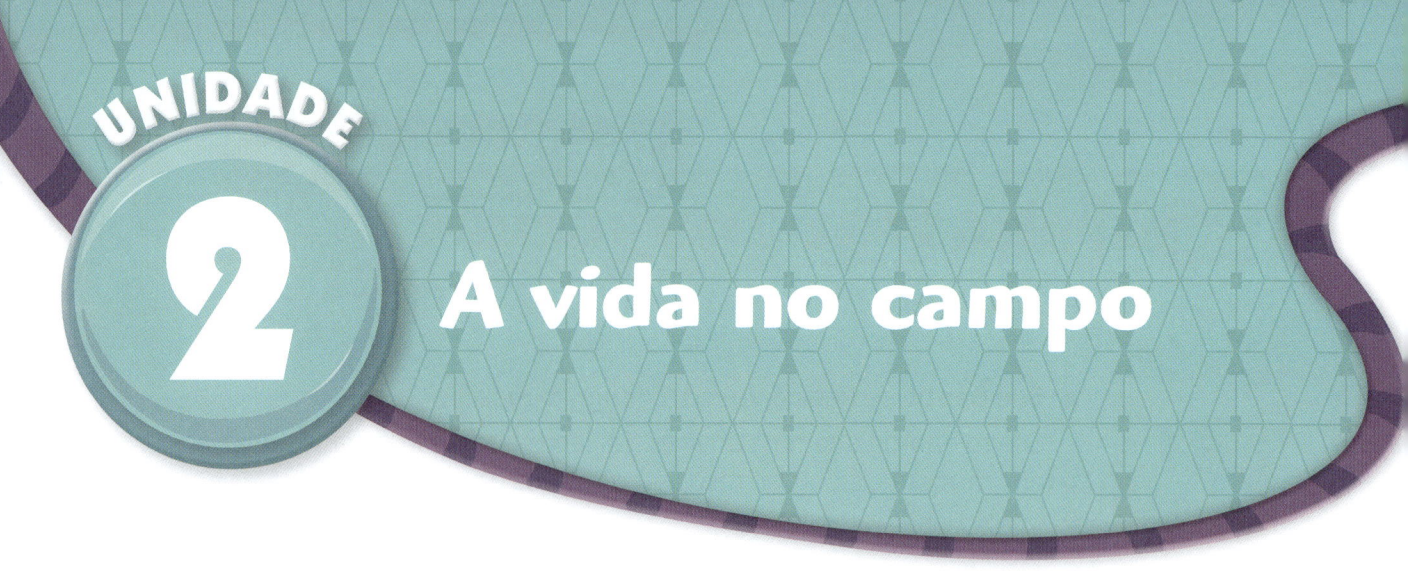

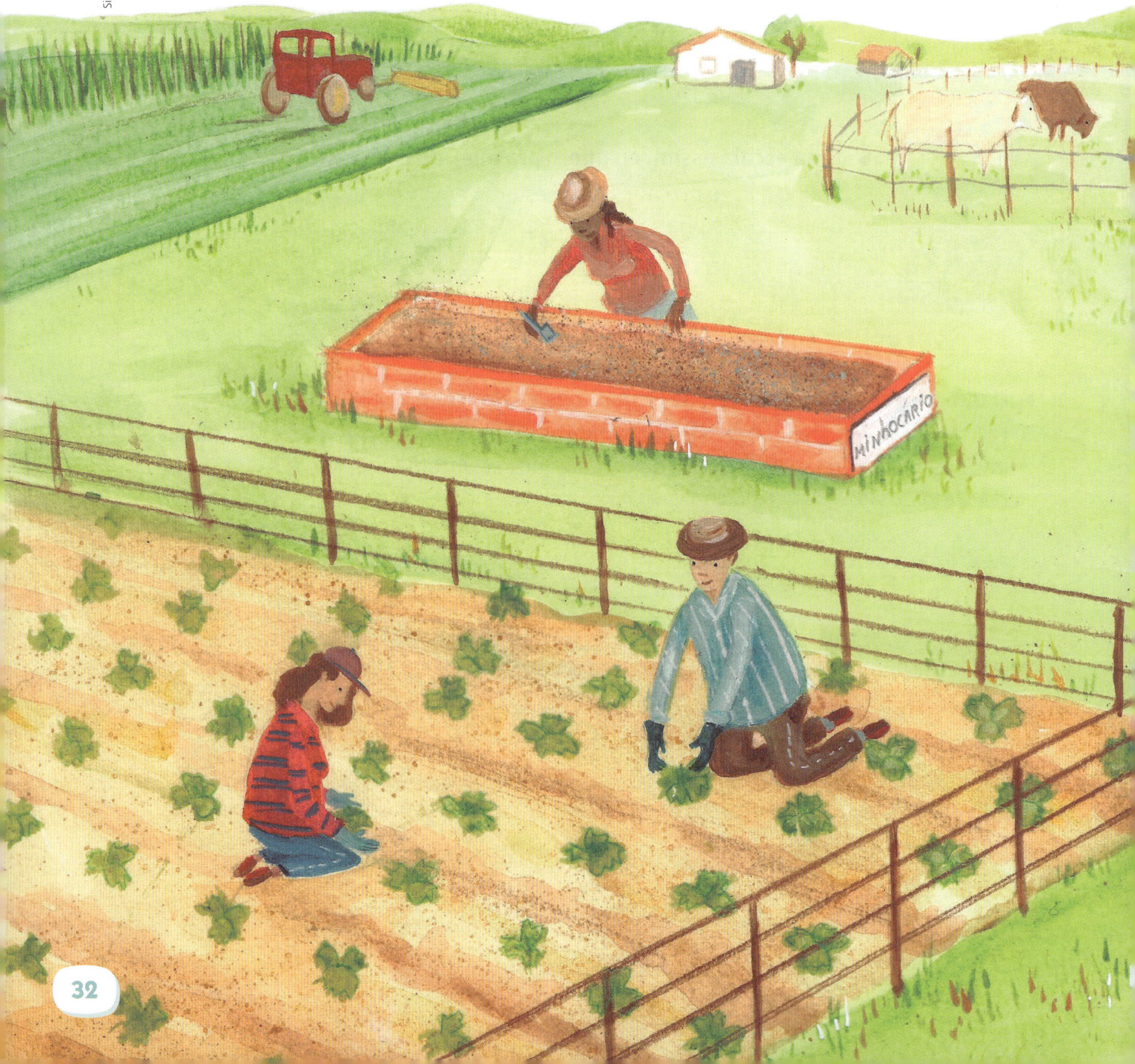

- O que está sendo representado nesta imagem?
- Você conhece ou pertence a alguma comunidade que vive no campo? Relate o que sabe a respeito disso.
- Como você imagina que é viver no campo?

# CAPÍTULO 1 — Em contato com a terra

## Sua comunidade no campo

Se você pudesse montar uma comunidade no campo, como ela seria?

1. Recorte os elementos da página 157 e cole-os na imagem abaixo para montar sua comunidade rural.

Desenhorama

2. Mostre sua comunidade aos colegas e ao professor e conte a eles por que você escolheu esses elementos.

# Viver do que vem da terra

Os primeiros seres humanos buscavam, no ambiente ao redor, tudo de que precisavam para sobreviver. Eles coletavam frutas e caçavam animais para se alimentar, recolhiam galhos, folhas e pedras para fazer objetos e mudavam de um lugar para outro à procura de alimento.

Com o tempo, e em um processo muito lento que continua até hoje, as técnicas agrícolas e a criação de animais foram sendo desenvolvidas. Esses avanços fizeram os seres humanos do passado estabelecerem uma relação nova com a terra. Eles não precisavam mais mudar de lugar constantemente, pois aprenderam a manejar a terra para que ela se tornasse fonte de alimentos, o que ainda acontece. Assim, eles começaram a se fixar e a construir moradias nos lugares que escolhiam.

Para as tarefas de plantar, colher, extrair madeira e criar animais, os seres humanos desenvolveram diversas técnicas e ferramentas ao longo da história, que foram e continuam a ser modernizadas.

Observe os exemplos a seguir:

- O machado de **sílex** era usado para cortar madeira, carne e alguns vegetais. Também podia ser utilizado como arma.
- A enxada de ferro era semelhante às ferramentas utilizadas ainda hoje. Usada para cavar a terra, ela é composta de uma espécie de chapa metálica e de um cabo de madeira.
- Na enxada rotativa, um conjunto de lâminas se movimentam em círculos. Ela remexe a terra, preparando o solo para o cultivo de vegetais.

▶ Machado de sílex.

▶ Enxada de ferro.

▶ Enxada rotativa.

### Glossário

**Sílex:** rocha muito dura, de cor variável, bastante usada no passado para a confecção de ferramentas.

## A terra importa, e muito!

A terra é fundamental para a sobrevivência humana. Precisamos dela, por exemplo, para produzir alimentos e fixar nossas construções.

Atualmente, a maioria das pessoas vive em cidades, mas é o campo que fornece boa parte dos alimentos que consumimos. A fim de que os alimentos sejam produzidos para uma quantidade cada vez maior de pessoas, tecnologias agrícolas continuam a ser desenvolvidas.

Ao lado dos tradicionais utensílios e máquinas mais antigos – como enxada, arado, carro de boi e outros –, existem diversos produtos, ferramentas, máquinas e veículos desenvolvidos com tecnologias inovadoras, cujo objetivo é aumentar a produção no campo.

O desenvolvimento de novas técnicas, utensílios e maquinários usados na agricultura e na pecuária é resultado de pesquisas e experimentos feitos por profissionais de diversas áreas, com destaque para os **agrônomos**.

### Glossário

**Agrônomo:** profissional que estuda o solo e as plantações.

▶ Sede do Instituto Agronômico do Paraná no município de Londrina, Paraná.

# O grande negócio e o negócio familiar

Quando os antigos humanos se assentaram em comunidades fixas, a produção de alimentos tornou-se responsabilidade das famílias que formavam esses grupos.

À medida que a produção aumentava, os trabalhos passaram a ser divididos entre os membros das comunidades. Assim, havia pessoas especializadas na plantação, na colheita e no preparo dos vegetais para o consumo.

▶ Colheita mecanizada de soja, típica de agronegócio. Município de Formosa do Rio Preto, Bahia.

Com o passar do tempo, essa realidade mudou, dando origem a empresas especializadas em produção agrícola. Essas empresas não cultivavam os vegetais para consumo, mas para venda.

O surgimento de grupos empresariais de produção alimentar não significou o desaparecimento das formas tradicionais de cultivo da terra. Pequenos produtores, de base familiar, ainda são responsáveis pela produção de alimentos. Esses produtores cultivam vegetais tanto para consumo próprio quanto para venda.

As técnicas de plantio e cultivo variam desde as mais tradicionais, em que as pessoas trabalham diretamente a terra, até as mais recentes, em que são usadas máquinas em diversas etapas do processo.

▶ Agricultor trabalha em canteiro de verduras orgânicas na zona rural. Município de Pancas, Espírito Santo.

# Atividades

**1** Como os primeiros seres humanos conseguiam alimentos?

_____

_____

**2** Recorte as figuras da página 159 e, no espaço abaixo, cole as que representam os alimentos consumidos pelos primeiros grupos humanos.

**3** Compare nossa alimentação atual com a dos primeiros humanos. Depois, explique o que mudou e o que permaneceu.

_____

_____

_____

**4** Qual é a importância da terra para a vida das pessoas?

_____

_____

_____

**5** Com o passar do tempo, algumas coisas mudam e outras permanecem iguais. No caderno, relacione duas características que tenham mudado e duas que tenham permanecido desde que os primeiros seres humanos começaram a praticar a agricultura até os dias atuais.

**6** Pinte os desenhos que mostram atividades do campo e, em seguida, faça o que se pede.

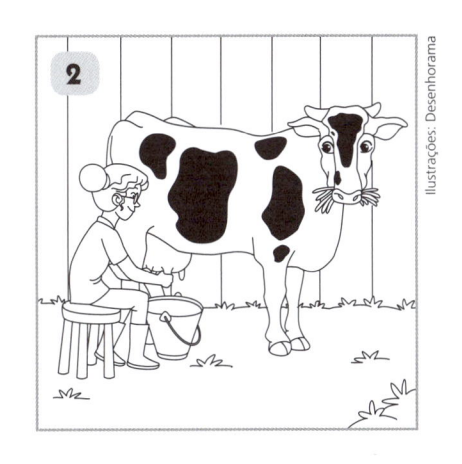

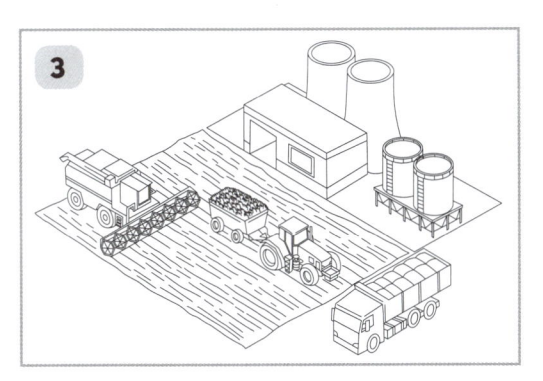

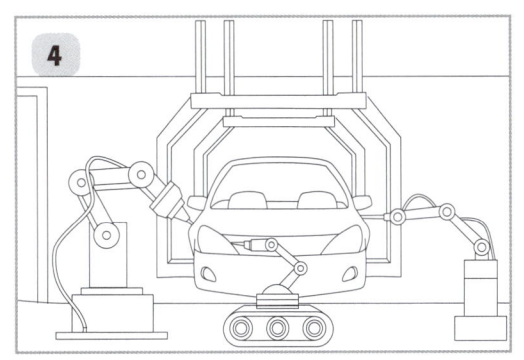

a) Circule de **azul** os quadrinhos correspondentes às imagens que mostram atividades praticadas antigamente e que são realizadas até hoje.

b) Agora circule de **vermelho** o quadrinho da imagem que representa a mecanização do trabalho no campo.

c) Circule de **verde** o quadrinho da imagem que representa uma forma de produção tipicamente urbana.

d) Responda no caderno: Qual é a relação entre as atividades mostradas nas imagens e o trabalho na área urbana?

## CAPÍTULO 2 — As comunidades tradicionais

## Brincar lá fora

1. Ajude Anahí a encontrar seus amigos para brincar.

2. Agora, converse com os colegas e responda:

   a) Além de aprender a brincar, o que Anahí poderia observar enquanto caminha em sua comunidade?

   b) Você costuma observar os adultos de sua família quando estão fazendo tarefas? Se sim, conte aos colegas algo que aprendeu a fazer por meio dessa observação.

# As comunidades indígenas

Existem muitos grupos, no Brasil e no mundo, que vivem cercados por matas e rios.

Entre esses grupos estão algumas comunidades indígenas brasileiras.

Parte dessas comunidades vive em **reservas indígenas**. Nessas terras, os povos indígenas podem plantar, colher, pescar e caçar animais para consumo próprio, mantendo assim algumas características de seu tradicional modo de viver.

▶ Índias descascam mandioca para a preparação de beiju na aldeia Yawalapit. Gaúcha do Norte, Mato Grosso.

Os povos indígenas têm forte relação com a natureza. Observando e seguindo os ciclos naturais, eles plantam, colhem e fazem celebrações. Uma delas acontece na época da colheita. Nesse período, diversos grupos se organizam para realizar rituais ou celebrar o alimento obtido. Essa é mais uma forma de manter as tradições dos antepassados.

### Glossário

**Reservas indígenas:** terras demarcadas pelo governo, nas quais muitos grupos indígenas vivem atualmente. Nessas terras, eles constroem moradias, plantam e caçam, mantendo costumes e tradições.

Além dos indígenas que habitam reservas, alguns grupos vivem de forma isolada, sem manter contato com pessoas e produtos das cidades.

Por outro lado, muitos indígenas atualmente habitam áreas urbanas. Eles adotam vários costumes dos lugares onde vivem e ainda mantém suas tradições.

▶ Indígenas que vivem isolados observam um avião que sobrevoa sua comunidade na Bacia Amazônica, em região próxima ao Igarapé Xinane, estado do Acre.

## Direto da fonte

### O calendário da terra

Os povos indígenas têm uma relação muito próxima com o ambiente que tradicionalmente habitam. Nas terras cultivam o que precisam para viver e dar continuidade à cultura da comunidade da qual fazem parte.

A relação desses indígenas com a natureza pode ser expressa na contagem do tempo, feita de acordo com o ciclo da natureza e as atividades agrícolas praticadas no local.

Veja ao lado o calendário indígena agrícola do povo suyá.

**CALENDÁRIO INDÍGENA**

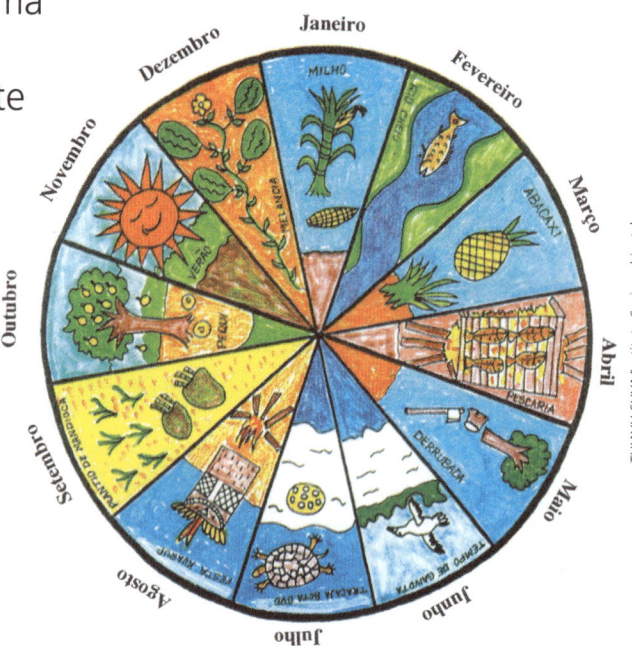

Fonte: Thiayu Suyá. *Geografia indígena: Parque Indígena do Xingu*. São Paulo: Instituto Socioambiental; Brasília: MEC; CEF; CPEF, 1988. p. 57.

**1** Observando o calendário, responda:

a) O que está representado no calendário?

b) As divisões são todas do mesmo tamanho?

c) Que formato tem esse calendário?

d) As divisões do calendário suyá podem ser comparadas a um período do calendário que você usa. Que período é esse?

**2** O que indica nesse calendário que os indígenas têm uma relação próxima com a natureza?

_____

_____

# A comunidade ribeirinha e a pantaneira

Assim como os povos das terras indígenas, os ribeirinhos vivem muito próximo a paisagens naturais. Eles moram em regiões de floresta, à margem de rios, por isso recebem essa denominação.

Conhecedores do ciclo da água do rio, os ribeirinhos sabem que o nível da água aumenta durante os períodos de cheia. Por isso, desenvolveram formas de construir as casas sobre estacas. Esse tipo de construção é conhecido como palafita.

▶ Palafitas durante a maré baixa. Igarapé Fortaleza, Amapá.

Os ribeirinhos vivem geralmente da pesca, da coleta de alimentos e da caça. O ritmo de vida nessas comunidades acompanha os ciclos de cheia dos rios da região em que habitam.

As comunidades pantaneiras estão localizadas no Pantanal, uma região entre os estados de Mato Grosso e Mato Grosso do Sul, onde vivem inúmeras espécies de animais e plantas. Os membros dessas comunidades também conhecem muito bem o ciclo da água, pois precisam adaptar suas atividades aos períodos de chuva, quando as águas dos rios transbordam e alagam o solo.

▶ O pantaneiro é reconhecido pela capacidade de se adaptar aos ciclos da chuva. Barão de Melgaço, Mato Grosso.

# As comunidades quilombolas

Além dos indígenas e ribeirinhos, outros grupos habitam as áreas rurais do Brasil, como algumas comunidades quilombolas.

▶ Prática de agricultura na comunidade quilombola de Jamary dos Pretos. Turiaçu, Maranhão.

As comunidades quilombolas surgiram de **quilombos** formados por pessoas **escravizadas**. Durante mais de 300 anos, milhões de africanos foram trazidos para o Brasil para trabalhar nas fazendas, vilas e cidades. Eles realizavam trabalhos forçados e sofriam castigos e maus-tratos. Muitos fugiram e se instalaram em outros locais, os quilombos. Algumas comunidades atuais são formadas por descendentes desses quilombolas.

### Glossário

**Escravizado:** pessoa que vive como se fosse propriedade de outra.

**Quilombo:** local fortificado, de difícil acesso, onde os escravos fugidos se refugiavam.

Como os quilombolas dependem da agricultura e do extrativismo, a terra é muito importante para eles. Nessas comunidades, também preservam as tradições de seus antepassados, como formas de trabalho, festas, danças, músicas e comidas típicas.

## Um pouco mais sobre

## A busca por direitos

Em muitos lugares do Brasil, comemora-se, em 20 de novembro, o Dia da Consciência Negra. Essa data foi resgatada pelo **Movimento Negro** como símbolo da resistência dos povos africanos e afrodescendentes durante o período de escravidão.

Diversas pessoas se manifestam e organizam eventos nesse dia para discutir a situação dos afrodescendentes no Brasil e ampliar as ações contra o preconceito e a discriminação.

Muitos quilombolas fazem o mesmo e aproveitam a data para lembrar à sociedade brasileira os direitos deles. Eles reivindicam melhores condições de vida e lutam por educação, saúde, alimentação, acesso à tecnologia e outros direitos. Entre esses direitos, estão a posse da terra e a preservação das tradições ancestrais.

▶ Marcha da Consciência Negra na Avenida Paulista. São Paulo, São Paulo.

### Glossário

**Ação afirmativa:** medida tomada pelo governo ou por empresas com o objetivo de corrigir desigualdades acumuladas ao longo de anos.

**Movimento Negro:** comunidade de pessoas que atuam contra o preconceito racial e a favor da valorização da cultura africana e afrodescendente.

1. O Movimento Negro atua há bastante tempo no Brasil e tem obtido importantes conquistas, como a implantação de **ações afirmativas** em diferentes setores da sociedade. Pesquise as ações afirmativas mais recentes conquistadas por esse grupo no Brasil e converse com o professor e os colegas sobre elas.

# Atividades

**1** Observe as fotografias a seguir e responda às questões.

▶ Indígenas kaxinawás no Acre.   ▶ Indígenas guaranis em São Paulo.   ▶ Indígenas do Amazonas.

a) Em qual das três imagens vemos indígenas que vivem isolados? Explique sua hipótese.

_____

_____

_____

b) Em qual das três imagens os indígenas estão em um meio diferente do da aldeia? Explique.

_____

_____

_____

c) Quais das atividades retratadas fazem parte de seu cotidiano ou do cotidiano de alguns de seus familiares? Explique.

**2** O pesquisador Manoel estuda a comunidade ribeirinha e a pantaneira. Ajude-o a coletar as informações necessárias para compreender melhor ambos os grupos.

a) Comunidades ribeirinhas

- Onde vivem:
- Relação do grupo com o meio ambiente:

b) Comunidades pantaneiras

- Onde vivem:
- Relação do grupo com o meio ambiente:

**3** Assinale **V** nas afirmativas verdadeiras e **F** nas falsas.

☐ Mesmo antes da chegada dos portugueses à América, os povos indígenas já se organizavam em diferentes grupos.

☐ Todos os grupos indígenas falam uma única língua e têm os mesmos costumes.

☐ Os diversos grupos indígenas originários do Brasil tinham costumes, organização e línguas diferentes.

☐ As comunidades quilombolas são diferentes entre si.

☐ A maioria das comunidades quilombolas não mantém as tradições culturais de seus antepassados.

☐ As comunidades remanescentes de quilombos têm em comum a história de seus antepassados.

**4** Responda em seu caderno o que são as comunidades quilombolas e como elas foram formadas.

# CAPÍTULO 3
## Paisagens sertanejas

## Uma paisagem brasileira

Até agora você estudou os indígenas, quilombolas, ribeirinhos e pantaneiros. Neste capítulo, conhecerá um pouco melhor as pessoas que vivem no sertão.

1. A ilustração abaixo representa o sertão brasileiro. Pinte-a usando as cores que achar mais adequadas para representar esse ambiente.

Erik Malagrino

# Paisagens diversas

Quando nos referimos a paisagens naturais, costumamos pensar em florestas, rios **caudalosos** e, ainda, paisagens do litoral, com mar e areia. Mas há muitas outras diferentes dessas.

Observe:

> **Glossário**
>
> **Caudaloso:** característica de rios com grande fluxo de água.

▶ Caravana de camelos em deserto. Dubai.

▶ Rebanho de ovelhas no Planalto Assy. Cazaquistão.

▶ Mulheres em rua coberta de neve. Rússia.

▶ Animais bebem água em uma região seca. Brasil.

Em cada tipo de paisagem as pessoas precisam encontrar meios de se adaptar às condições naturais a que estão sujeitas. No Brasil, muitas pessoas vivem em regiões que passam por períodos sem chuvas. E o que fazer quando a chuva não vem?

# Quando a chuva não vem...

Os sertanejos – moradores do sertão brasileiro, região atingida frequentemente por períodos de seca – desenvolveram formas de minimizar os impactos da seca e tentar impedir que falte água para as atividades cotidianas.

Nos longos períodos sem chuva, as comunidades passam por muitas dificuldades para conseguir tirar o sustento da terra. Estocar água em **açudes** e **cisternas** foi uma das maneiras encontradas para reduzir os problemas causados pela falta de água nessa região do Brasil.

Criação de gado e cultivo agrícola são atividades econômicas comuns no sertão brasileiro que necessitam de grande quantidade de água. Os açudes e as cisternas possibilitam a prática dessas atividades ao estocar água durante a estação de chuvas.

### Glossário

**Açude:** construção que represa água para ser usada na agricultura, no abastecimento ou na produção de energia.

**Cisterna:** reservatório construído para armazenar água potável.

▶ Açude Itans. Abastece a cidade de Caicó, Rio Grande do Norte.

▶ Casa com cisterna. Tucano, Bahia.

Nem sempre é possível estocar água suficiente para os prolongados períodos sem chuvas. Quando isso acontece, a seca se torna um enorme obstáculo à vida e, por isso, populações são forçadas a se deslocar para outras regiões.

Em alguns casos, as pessoas vão para áreas próximas do local de origem. Em outras situações, deslocam-se para regiões distantes.

## A vida de migrante

Ao chegarem a novos lugares de moradia, as pessoas que deixaram as dificuldades da seca para trás precisam se adaptar a esses locais. Elas têm de se acostumar com comidas, sons, clima, jeitos de falar e de viver que são, às vezes, totalmente diferentes.

As pessoas que se mudam de um lugar para outro dentro do mesmo país são chamadas de migrantes.

Os migrantes também levam consigo os próprios costumes e tradições, como músicas, danças, vestimentas, receitas de comida, formas de falar e de se relacionar com as pessoas etc. Esses hábitos se misturam com os costumes do lugar para onde eles migram e enriquecem a cultura local.

▶ Centro Municipal Luiz Gonzaga de Tradições Nordestinas. Bairro de São Cristóvão, Rio de Janeiro.

Em muitos casos, os migrantes voltam para os lugares de origem levando consigo, além da própria cultura, os hábitos e costumes que aprenderam nos locais em que viveram.

▶ Área de embarque da Estação Rodoviária Tietê. São Paulo.

## Um pouco mais sobre

### A cultura sertaneja

Há quem acredite que a palavra **sertão** venha de "certão", uma palavra usada para identificar os lugares que eram distantes do litoral.

Quando os portugueses começaram a fazer o reconhecimento dessa região do Brasil, notaram que em determinadas épocas do ano havia poucos indígenas vivendo lá.

E isso tinha um motivo. Os indígenas da região conheciam os ciclos das chuvas e sabiam que o período de seca sempre ocorria. Então, quando as chuvas diminuíam, eles se mudavam para outro lugar com mais disponibilidade de água e de alimentos.

Ao se estabelecerem no local, os portugueses utilizaram o conhecimento dos indígenas sobre o clima e sobre os ciclos da natureza para se adaptarem à nova vida.

A mistura das práticas e do conhecimento de indígenas, portugueses, africanos e de outros grupos que foram viver nesse lugar deu forma a uma cultura tradicional muito rica.

A cultura tradicional formada no sertão pode ser percebida no sotaque, na literatura, na dança e nas crenças do sertanejo. A música desse lugar, conhecida em todo o Brasil, é sinônimo de quem vive afastado da cidade. O instrumento mais usado, a viola, é original de Portugal e passou a fazer parte da cultura do sertão.

▶ Violeiro no município de Tucano, Bahia.

**1** Com auxílio do professor, pesquise na internet a cultura sertaneja para descobrir se em sua comunidade há influência dela.

## Pesquisa histórica

As feiras, quitandas e granjas podem ser bons lugares para encontrar pessoas que trabalham no campo. Você também pode conversar com pessoas que conheça que moraram ou ainda moram no campo. Vamos fazer uma pesquisa para conhecer mais a vida de quem mora no campo?

Faça as perguntas a seguir.

- Como é seu nome?
- Você trabalhou ou ainda trabalha no campo?
- Em caso afirmativo, qual é a atividade agrícola que você exerce?
- Onde você aprendeu essa atividade?
- A água é importante para a atividade que você exerce?
- De onde vem a água que você utiliza?
- Como seria se você não tivesse essa fonte de água?
- Onde você busca formas de melhorar sua relação com a terra?

Agora, com base nas respostas que essa pessoa deu, elabore um cartaz que explique para todos de sua turma suas descobertas.

# Atividades

1. Charges são desenhos que, por meio do humor, procuram fazer alguma crítica ou denúncia de um acontecimento recente. Observe a charge e, em seguida, responda às perguntas.

Ivan Cabral. Seca. *Sorriso Pensante: humor gráfico e derivados*, 19 mar. 2013. Disponível em: <www.ivancabral.com/2013/03/charge-do-dia-seca.html>. Acesso em: 15 mar. 2019.

a) O que você identifica no entorno da casa do personagem?

_____

_____

b) Por que, em sua opinião, o personagem desconhece a cor verde?

_____

_____

2. Converse com os colegas e, juntos, façam uma lista das consequências da seca para a população.

3. A migração de pessoas acontece desde o início da humanidade. Atualmente, ela pode ocorrer por uma série de motivos. Com base nisso, responda às questões.

a) Quem são os migrantes?

_____

_____

b) Quais são os principais desafios cotidianos dos grupos que enfrentam o processo de migração?

_____

_____

4. A literatura de cordel é uma tradição originada na Europa que foi trazida ao Brasil e é muito popular na cultura sertaneja. São textos escritos em forma de poesia e impressos em **livretos** cujas capas são estampadas com **xilogravuras**. Observe a capa do livreto ao lado e responda: Que elemento da cultura sertaneja pode ser identificado na imagem?

**Glossário**

**Livreto:** pequeno livro.
**Xilogravura:** técnica de gravação de figuras em que um molde de madeira é aplicado sobre uma superfície, como um carimbo.

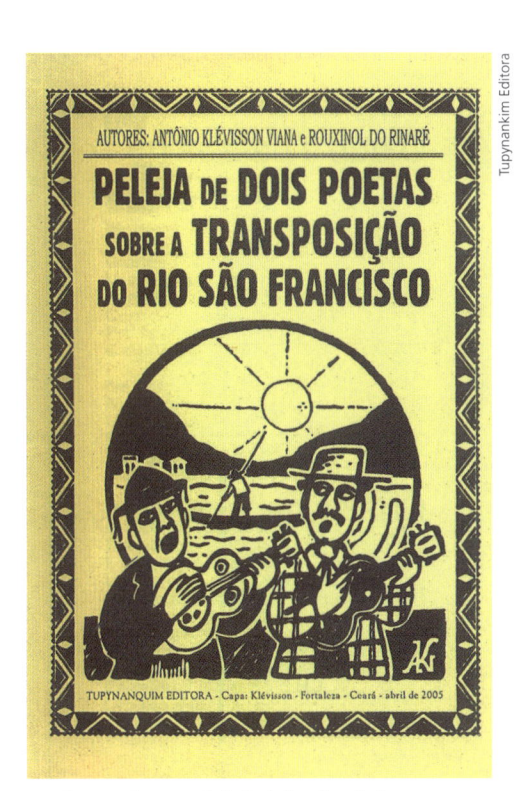

▶ Capa do cordel *Peleja de dois poetas sobre a transposição do Rio São Francisco*. Ceará, 2005.

## Hora da leitura

### Chico Bento: um menino do campo

As histórias em quadrinhos, além de serem muito divertidas, podem nos ensinar bastante.

Um personagem muito conhecido dos quadrinhos brasileiros é o Chico Bento. Ele é um menino que vive no campo e com frequência recebe a visita dos primos que moram na cidade grande.

Vamos ler uma tirinha do Chico Bento.

▶ Tirinha de Chico Bento publicada pela 1ª vez na década de 1970.

**1** O que a pessoa que está conversando com Chico Bento queria saber?

_____
_____
_____

**2** Quais conhecimentos Chico Bento utilizou para dar sua resposta?

_____
_____
_____
_____

56

## HISTÓRIA em ação

## Regularização quilombola

A relação entre os membros das comunidades quilombolas e sua ancestralidade, suas tradições e práticas culturais é muito importante para eles. E uma das formas de dar continuidade a essa relação é a garantia do direito à terra.

Para que a área tradicionalmente ocupada por essas comunidades seja reconhecida e assegurada, é preciso seguir algumas etapas.

Observe a seguir.

1. Estudo que identifica e delimita o território a ser regularizado.

3. Declaração dos limites territoriais das terras tradicionalmente ocupadas.

2. Elaboração de um documento que inicia o processo de regularização das terras.

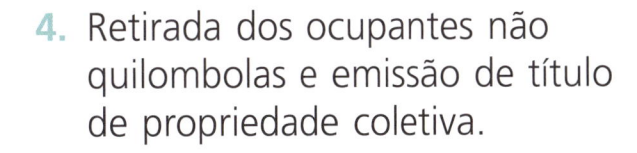

4. Retirada dos ocupantes não quilombolas e emissão de título de propriedade coletiva.

Ilustrações: Marcos de Mello

# Como eu vejo

## Reciclagem de alumínio

Muitas das embalagens de produtos que consumimos são feitas de alumínio, um metal fabricado com uma substância encontrada no solo. Sua extração e sua purificação prejudicam a natureza, por isso é importante diminuir seu uso ao máximo e incentivar a reciclagem.

As ilustrações a seguir mostram como ocorre o processo de reciclagem das latas de alumínio. Observe:

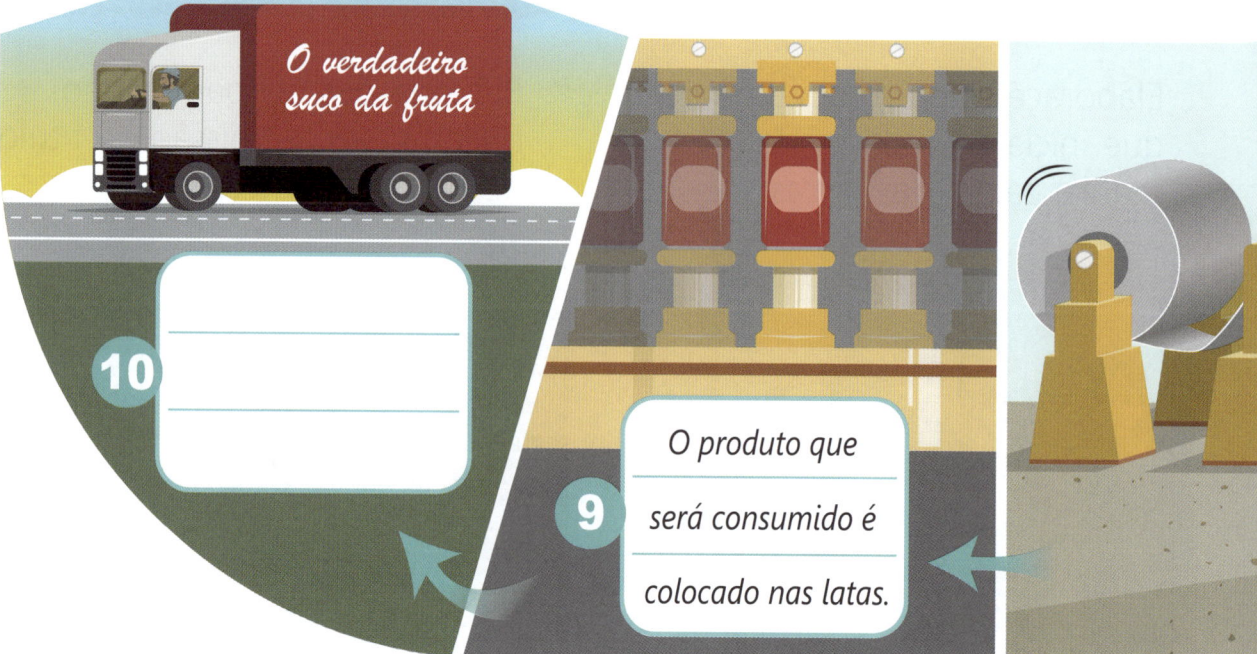

**1.** ____

**2.** ____

**10.** ____

**9.** O produto que será consumido é colocado nas latas.

**3** _____

**4** As latas são compactadas em uma máquina.

**5** O alumínio é derretido em fornos especiais.

**6** O metal líquido é transformado em barras.

**7** As barras de alumínio se transformam em grandes placas.

**8** As placas são moldadas no formato de latas.

1. Pesquise as etapas da reciclagem do alumínio. Em seguida, preencha os espaços indicados.

2. Observe os materias escolares disponíveis no armário e faça uma lista daqueles cujos elementos de produção tiveram sua origem no campo.

# Como eu transformo

## Colaborando para a coleta seletiva

**O que fazer?**

Ajudar a implantar a coleta de latas de alumínio na escola.

**Para que fazer?**

Para preservar o meio ambiente.

**Com quem fazer?**

Com os colegas, o professor e pessoas da comunidade.

**Como fazer?**

1. Reúna-se com dois colegas e, juntos, pesquisem informações sobre a reciclagem de latinhas de alumínio. Além do processo de reciclagem, vocês podem buscar os números envolvidos e a quantidade de alumínio reciclado a cada ano, os benefícios e aspectos sociais, econômicos, políticos e ambientais dessa prática, entre outros dados. Anotem as descobertas e compartilhem-nas com o resto da turma.

2. Sigam as orientações do professor para descobrirem a quantidade de latas de alumínio acondicionadas semanalmente no lixo da escola. Verifiquem também se, nos arredores da escola ou nas proximidades, há locais que poderão receber o material coletado e se há pessoas que se dedicam à coleta desses materiais.

3. Com base nas informações coletadas, criem cartazes para apresentar à comunidade escolar o que vocês aprenderam e incentivar a coleta de latinhas na escola.

4. Com o auxílio do professor, todos os alunos da turma devem escolher um latão de lixo da escola para receber somente latinhas. Depois criem placas indicando aos alunos onde devem descartar suas latinhas e espalhem-nas pela escola.

Como foi sua experiência?

# Revendo o que aprendi

**1** Pinte de azul os itens que se relacionam com o modo de vida dos primeiros seres humanos.

| Mudavam de lugar constantemente. | Eram coletores de frutas. | Alimentavam-se somente de vegetais. | Desenvolveram técnicas agrícolas. |

| Caçavam animais. | Usavam metais como instrumentos de trabalho. | Produziam objetos com pedra. | Alimentavam-se de produtos industrializados. |

**2** Preencha os quadrinhos com as vogais que faltam e descubra o nome de alguns utensílios agrícolas. Depois, escreva se o utensílio é moderno ou antigo.

a) ▢ N ▢ X ▢ ▢ D ▢

_____

b) M ▢ T ▢ S S ▢ R R ▢

_____

c) R ▢ Ç ▢ D ▢ R ▢ ▢ G ▢ S ▢ L ▢ N A

_____

d) M ▢ ▢ C H ▢ D ▢

_____

**3** É correto afirmar que as grandes empresas provocaram o fim dos grupos de produção familiar? Explique.

_____

_____

4 Observe as imagens e faça o que se pede.

a) Pinte as ilustrações e identifique-as escrevendo o nome dos grupos estudados nesta unidade.

b) Leia as definições que estão nos quadros e nomeie corretamente os grupos a que elas se referem.

> Vivem em uma das regiões mais secas do Brasil, estocam água para minimizar o problema durante o período de seca e muitas vezes migram em busca de melhores condições de vida.

São descendentes de povos que há mais de 40 mil anos viveram nas terras que hoje formam o Brasil. Quando estão em suas terras tradicionais, plantam, pescam e caçam animais para a subsistência.

_____

Em geral, são comunidades organizadas em terras tradicionalmente ocupadas por africanos escravizados. Praticam a agricultura e se preocupam em preservar as tradições ancestrais.

_____

c) Explique as semelhanças entre os grupos representados nas imagens.

5. Com ajuda do professor, pesquise os povos indígenas da cidade ou da região onde você mora e responda às questões a seguir.

a) Que povo ou povos indígenas habitavam ou habitam a região onde hoje se localiza o município em que você mora?

_____

b) Atualmente, há grupos indígenas vivendo no município em que você mora? Quais?

_____

c) Você conhece alguma tradição indígena que é utilizada em sua comunidade?

_____

_____

## Nesta unidade vimos

- Os primeiros grupos humanos retiravam da terra seu sustento.

- Até hoje utilizamos a terra para produzir alimentos, construir moradias etc.

- Os povos indígenas têm uma relação muito próxima com a natureza.

- Ribeirinhos e pantaneiros têm um modo de vida que considera o ciclo das chuvas.

- A terra é muito importante para as comunidades rurais quilombolas.

- As pessoas desenvolveram formas diferentes de viver em locais com pouca água. Esse modo de vida originou a cultura sertaneja.

**Para finalizar, responda:**

▶ De acordo com o que você aprendeu, como é viver no meio rural?

▶ Onde você mora há tradições de povos que moram em áreas rurais? Quais?

## Para ir mais longe

### Livros

▶ **Um quilombo no Leblon**, de Luciana Sandroni (Editora Pallas).

Esse livro conta a história de um comerciante que tinha uma chácara na região onde hoje é o bairro do Leblon, no Rio de Janeiro, na qual abrigava escravos fugidos. O local, então, ficou conhecido como Quilombo do Leblon.

▶ **Lendas e mitos dos índios brasileiros**, de Walde-Mar de Andrade e Silva (FTD).

A obra reúne 24 lendas, recontadas e ilustradas. A riqueza dos recontos e os detalhes das pinturas são frutos da convivência do autor com os grupos indígenas do Xingu por mais de oito anos, quando teve a oportunidade de colher valiosas informações e observar a forma de viver, os rituais e as festas deles.

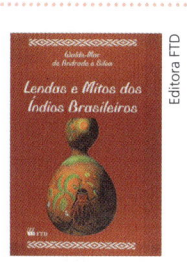

▶ **Manual da criança caiçara**, de Marie Ange Bordas (Peirópolis).

Marie e as crianças da Barra do Ribeira perceberam o quanto as coisas mais simples de seu dia a dia eram especiais – a pesca na cueca, as invenções do artesanato, os ritmos do fandango, as delícias da comida e os segredos dos bichos e plantas da Mata Atlântica. Elas reuniram e apresentaram neste manual um grande número de saberes e fazeres para compartilhar com crianças de todos os lugares.

▶ **Uma aventura no campo**, de Eduardo Rincon e Maya Reyes Rincon (Moderna).

Inspirada no livro *O ambiente do campo*, de Samuel Murgel Branco, essa história em quadrinhos procura aproximar as crianças das plantas e dos animais que fazem parte da alimentação de muitos de nós e que só vemos nas feiras e nos supermercados.

### Sites

▶ **PIB Mirim:** <https://mirim.org>.
Neste endereço, você terá muitas informações sobre os povos indígenas brasileiros.

▶ **A Cor da Cultura:** <www.acordacultura.org.br>.
Este *site* faz parte de um projeto de valorização da cultura afro-brasileira. Nele você encontra muitas informações, livros, vídeos e artigos sobre vários assuntos referentes ao tema.

# UNIDADE 3
## A construção das cidades

- Que lugar está representado nesta imagem?
- O que as pessoas estão fazendo?
- Todas as construções são iguais? O que isso representa?
- Você conhece algum lugar parecido com este?

## CAPÍTULO 1

# Cidade para todos

## A sua cidade

Pense em uma cidade ideal: como você acha que ela deveria ser?

Recorte as imagens da página 155 e monte, no espaço a seguir, sua cidade.

# A vida na cidade

Na unidade anterior conhecemos algumas comunidades que dependem da terra para viver e trabalhar. Nesta unidade abordaremos as comunidades da parte urbana dos municípios, ou seja, das cidades.

No Brasil, como podemos observar no gráfico a seguir, a maioria da população vive em cidades.

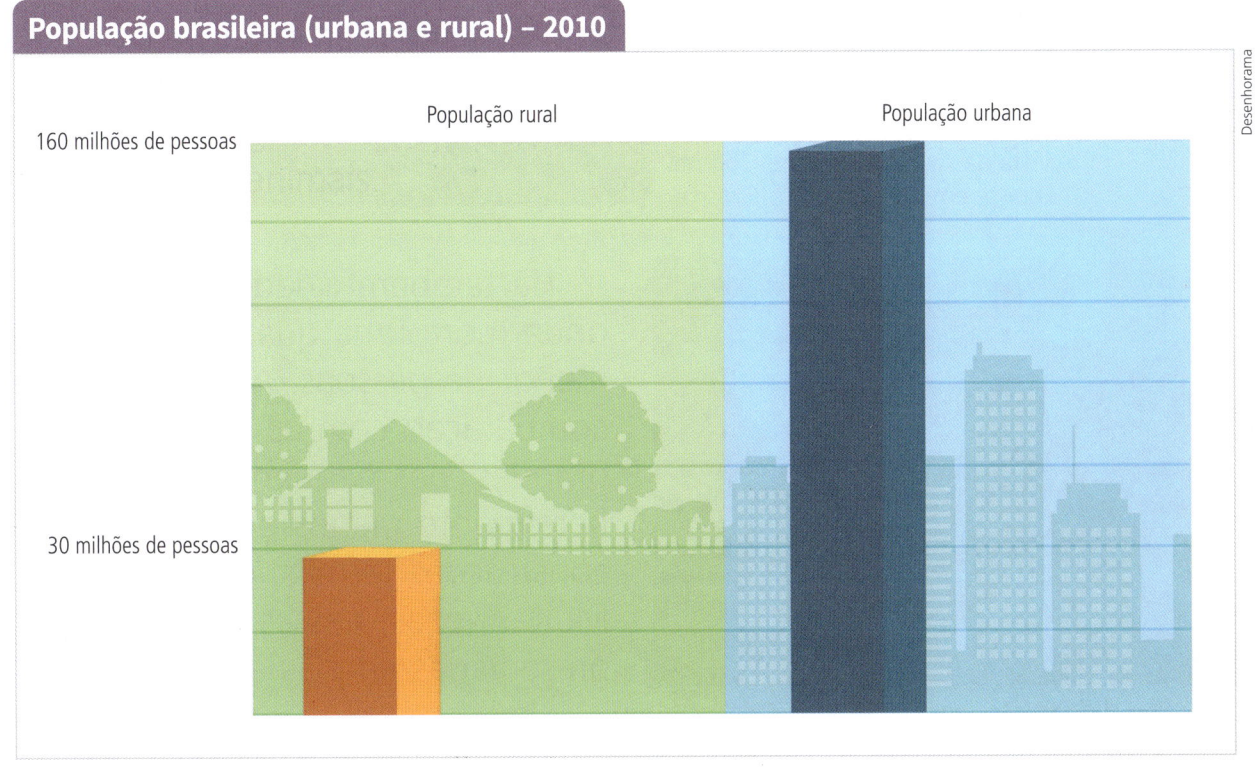

**População brasileira (urbana e rural) – 2010**

População rural — 30 milhões de pessoas
População urbana — 160 milhões de pessoas

Fonte: IBGE. *Censo Demográfico 2010*. Disponível em: <http://7a12.ibge.gov.br/vamos-conhecer-o-brasil/nosso-povo/caracteristicas-da-populacao.html>. Acesso em: 16 abr. 2019.

Os habitantes da cidade também compartilham espaços comuns e realizam várias atividades, como trabalhar, estudar e se divertir. Essas atividades podem ocorrer em lugares com grande concentração de pessoas ou até mesmo em residências.

Grande parte das cidades tem algumas características comuns, como a grande quantidade de pessoas, residências, estabelecimentos comerciais ou de serviços. Cada cidade também tem paisagens e histórias, além de outras características que a diferenciam das demais.

No Brasil, atualmente, há mais de 5 560 municípios, formados, em geral, por um centro urbano (ou cidade) e uma área rural (ou campo), e cada um deles tem características próprias.

# As diferentes cidades brasileiras

As cidades são diferentes umas das outras. Em algumas delas pode haver grande quantidade de prédios, lojas, estabelecimentos comerciais, pessoas e veículos. Essas características são comuns em cidades grandes.

▶ Vista da Avenida Tenente Coronel Duarte em Cuiabá, Mato Grosso.

Há também cidades pequenas, onde mora uma quantidade menor de pessoas. Assim, em comparação com as cidades grandes, nas pequenas há geralmente menos prédios e mais construções térreas, como casas. Muitas vezes, nesses locais estão preservadas amplas áreas verdes.

▶ Região central da cidade de Tucumã, Pará.

As cidades turísticas podem ser grandes ou pequenas. Nelas, muitas vezes a circulação de visitantes é maior que o número de moradores, principalmente devido a algumas datas comemorativas, a festas tradicionais ou à presença de marcos históricos.

▶ Carnaval nas ruas de Ouro Preto, Minas Gerais.

Você imagina como vivem as pessoas em cada cidade mostrada nas imagens? Alguma dessas cidades se parece com a sua?

# O vaivém nas grandes cidades

As grandes cidades muitas vezes recebem pessoas de vários lugares: das áreas rurais, das vilas ou até mesmo de outras áreas urbanas.

Algumas pessoas querem mudar de suas cidades para outras maiores. E há quem deseje sair das cidades grandes e ir para outras menores.

Quem quer viver em uma cidade grande pode estar em busca de serviços, atrações culturais, empregos e oportunidades de trabalho e negócios. As cidades grandes oferecem uma quantidade maior dessas atividades do que dispõem as cidades menores e as áreas rurais.

▶ Vista de trânsito de veículos e pedestres durante a noite. Recife, Pernambuco.

Atualmente, algumas áreas rurais do Brasil também podem fornecer grande variedade de atividades e oportunidades.

Além das pequenas propriedades agrícolas, há grandes fazendas, que atraem trabalhadores de diferentes profissões. Essas pessoas passam a viver nas vilas e cidades próximas, o que as faz crescer e diversificar produtos e serviços.

▶ Vista de hortas na cidade de Mogi das Cruzes, que abastece as cidades próximas. São Paulo.

# Cidades do passado e do presente

No passado, as cidades brasileiras não eram como são hoje. Na maioria delas moravam poucas pessoas, pois até o século 19 (1801-1900) as atividades econômicas estavam concentradas nas áreas rurais. O Brasil era essencialmente agrícola.

Em diferentes momentos e por diferentes motivos, algumas cidades cresceram e se tornaram grandes centros urbanos. Esse processo é chamado de urbanização.

Entre os motivos que contribuíram para o crescimento das cidades está a industrialização, ocorrida principalmente no início do século 20 (1901-2000).

Com a urbanização, as cidades passaram a oferecer opções de trabalho, bens e serviços. Isso atraiu e continua a atrair muitos habitantes.

▶ Orla de Copacabana, no Rio de Janeiro, em 1920 (à esquerda) e atualmente (à direita).

Nem todas as cidades do passado tiveram grande crescimento. Algumas cresceram pouco e em outras a população até diminuiu.

A população da cidade baiana de Maetinga, por exemplo, diminuiu muito nas primeiras décadas deste século.

▶ Centro do município de Maetinga, Bahia.

## Um pouco mais sobre

### Viver entre os muros do condomínio

Nas cidades grandes é comum encontrarmos moradias em condomínios. Quem mora em **condomínio fechado** geralmente deseja mais segurança e espaço para lazer. Nele, o acesso de não moradores é controlado.

Nos condomínios, cada família tem sua casa e seu espaço. Entretanto, há muitas áreas comuns e elas devem ser cuidadas e respeitadas por todos.

▶ Crianças brincam de bola na quadra de um condomínio em São Caetano do Sul, São Paulo.

Os moradores de um condomínio participam das decisões e são responsáveis pelo que acontece nas áreas comuns. Uma pessoa é escolhida entre os moradores para administrar o condomínio. Essa pessoa é o **síndico**. Ele gerencia as contas, mas as decisões são tomadas em conjunto pelos moradores. Em alguns casos, são empresas especializadas em administração predial que exercem a função de síndico.

### Glossário

**Condomínio fechado:** conjunto de habitações que ocupam um mesmo espaço delimitado; geralmente é cercado e o acesso a ele é controlado.

**Síndico:** em condomínio residencial, pessoa que cuida da administração, geralmente um morador eleito pelos demais.

# Atividades

1. Observe a imagem e faça o que se pede.

a) Escreva a letra **A** no espaço que representa o campo e a letra **B** no espaço que representa a cidade.

b) Faça um pequeno texto explicando quais são os elementos que diferenciam campo e cidade.

_____

_____

_____

c) Quais dos serviços representados na imagem você encontra em seu município?

_____

_____

**2** Observe as imagens e responda às questões no caderno.

▶ Feira livre. Catalão, Goiás.

▶ Bloco de carnaval de rua. São Paulo, São Paulo.

▶ Manifestação popular. São Paulo, São Paulo.

a) Você identifica em alguma dessas imagens o registro de uma celebração? Explique.

b) Em sua opinião, alguma das imagens retrata um movimento de participação política? Justifique sua opinião.

c) Alguma das imagens retratadas faz parte do cotidiano de sua família? Explique.

**3** É possível afirmar que todos os municípios têm história? Por quê?

**4** Ao desenhar uma cidade brasileira do passado, o ilustrador se confundiu e incluiu elementos atuais. Procure esses elementos e circule-os.

**CAPÍTULO 2**

# Perto da fábrica...

## Uma cidade é criada

Algumas cidades surgiram perto de pontos comerciais e fábricas. Você imagina o motivo?

1. Suponha que uma fábrica tenha se instalado em determinado local. Como você imagina que uma cidade se formaria próximo a ela? Recorte as peças da página 153 e cole-as na imagem a seguir formando uma grande cidade.

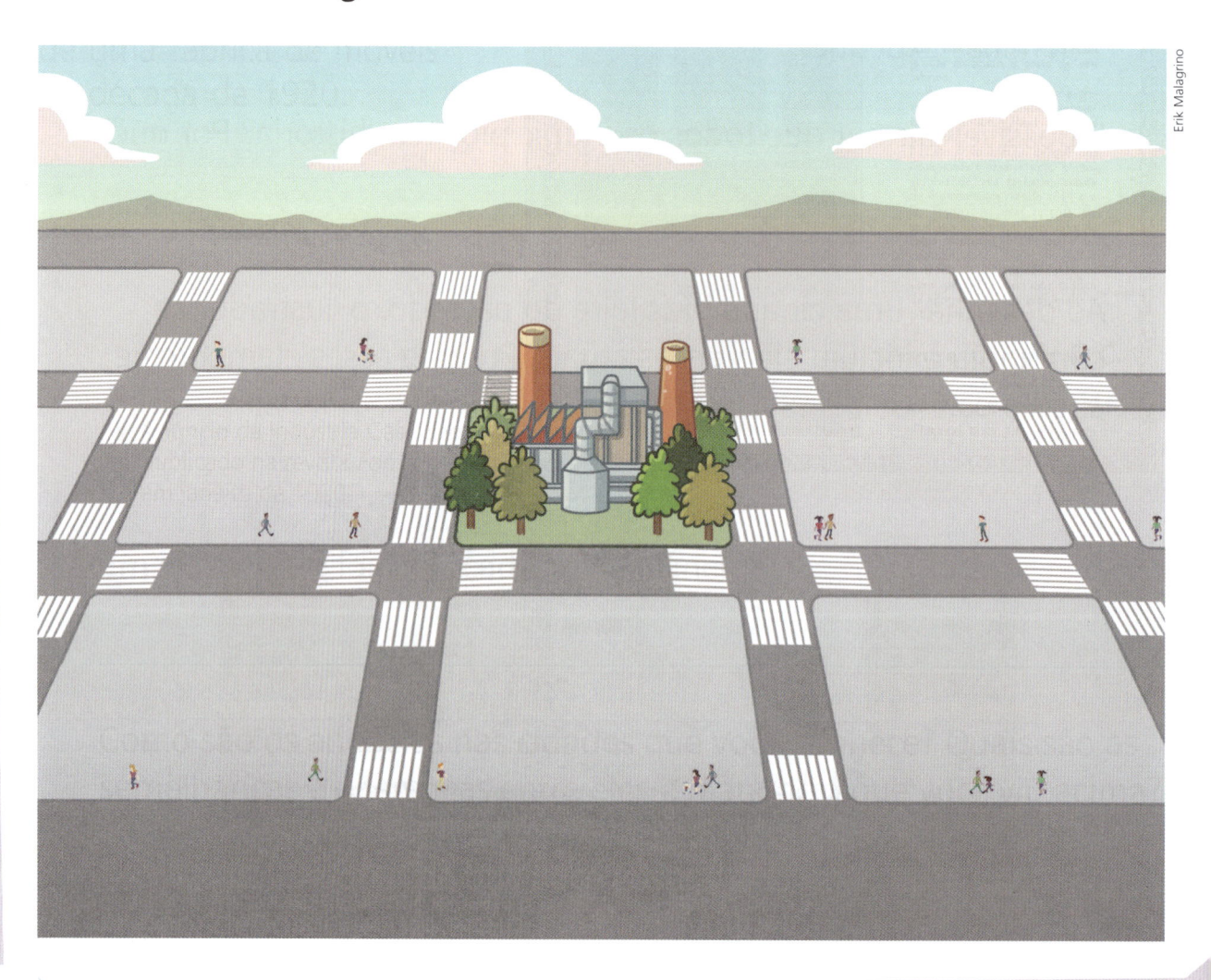

# No ritmo das fábricas

Carros, roupas, calçados, brinquedos e muitos outros produtos que fazem parte de nosso dia a dia são produzidos em instalações chamadas de fábricas.

Antes da existência delas, os produtos eram feitos artesanalmente, em casa ou em pequenas oficinas. Esse trabalho podia envolver toda a família e, às vezes, alguns ajudantes contratados.

Com o passar do tempo, novas tecnologias foram desenvolvidas e diversas máquinas passaram a ser utilizadas nas fábricas. Isso aconteceu em um longo processo de desenvolvimento da industrialização em diferentes lugares do mundo.

▶ Trabalhadoras em fábrica de bonecas. Alemanha, década de 1930.

▶ Funcionários trabalham em indústria automobilística atualmente. Camaçari, Bahia. Em muitos casos, o uso de máquinas fez a quantidade de funcionários das empresas diminuir bastante.

77

# Fábrica, trabalhadores e cidade

As fábricas começaram a ser instaladas no Brasil durante o século 19, concentrando-se inicialmente em São Paulo e no Rio de Janeiro. Durante o século 20, muitas fábricas foram instaladas também em outras regiões do país.

O desenvolvimento industrial foi um dos fatores que contribuiu para o surgimento e o crescimento de muitas cidades.

Nesse período, o número de fábricas aumentou e parte delas atraía famílias inteiras. Assim, essas famílias se mudaram do campo para perto das fábricas. Esse processo ocorreu em muitas vilas e bairros.

Era comum que famílias de trabalhadores se instalassem em locais próximos das fábricas, neles construindo moradias e outras instalações. Com o passar do tempo, muitas cidades se formaram nesses locais.

▶ Vila operária da Vidraria Santa Marina. São Paulo, década de 1910.

Para sobreviver na cidade, era comum que famílias inteiras trabalhassem. Por isso, além dos adultos, muitas crianças trabalhavam nas fábricas.

▶ Meninos trabalham na produção de latas no Instituto Profissional Masculino. Rio de Janeiro, 1908.

Trabalhar até 14 horas diárias, com salários baixos e sem o apoio de leis fazia parte do cotidiano dos trabalhadores no Brasil. Para mudar essa situação desfavorável, eles se organizaram em sindicatos e fizeram manifestações e greves.

A exigência dos trabalhadores organizados levou à conquista de alguns direitos, que passaram a ser garantidos por leis. O objetivo dessas leis era regulamentar o trabalho e proteger os trabalhadores. O trabalho infantil, por exemplo, passou a ser proibido.

▶ Funcionários de fábrica de fiação. Rio Grande do Sul, 1916.

## Direto da fonte

Observe a imagem e faça o que se pede.

▶ Operários da fábrica Crespi durante a Greve Geral de 1917.

1. Por que todos os operários estão reunidos fora da fábrica?

_____

_____

2. Na imagem, há crianças e jovens. De acordo com as informações anteriores, porque eles estão nesse local?

_____

_____

3. A proibição do trabalho a menores de 14 anos tornou-se lei a partir de 1943. Relacione essa conquista ao que a imagem mostra. Converse com os colegas e o professor.

# Da fábrica ao município

Vamos conhecer um pouco da história de um dos municípios brasileiros que se formou nas proximidades de uma fábrica: Telêmaco Borba, localizado no estado do Paraná.

Na antiga Fazenda Monte Alegre foi instalada, em 1946, uma fábrica de produção de papel.

Para facilitar o acesso à fábrica, estradas foram construídas.

Depois foi construída uma usina hidrelétrica, que fornecia energia.

Muitas pessoas se mudaram para as proximidades, para trabalhar na usina, e construíram casas, formando pequenas vilas.

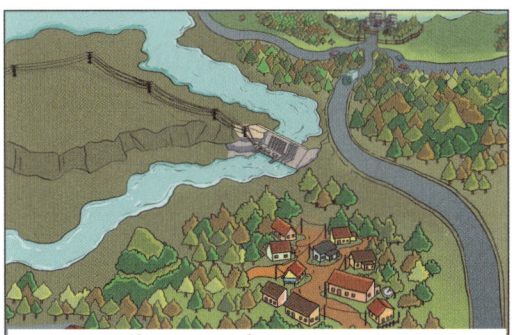

Com a fábrica em funcionamento, mais pessoas foram atraídas para o local. Surgiram então estabelecimentos comerciais e de serviços para atender às necessidades dos operários. Nasceu, assim, Cidade Nova, um distrito do município de Tibagi.

Cidade Nova cresceu tanto que deixou de ser um distrito. Tornou-se um novo município que, em 1964, recebeu o nome de Telêmaco Borba.

# Atividades

**1** Observe as ilustrações e faça o que se pede.

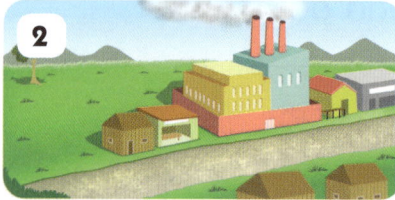

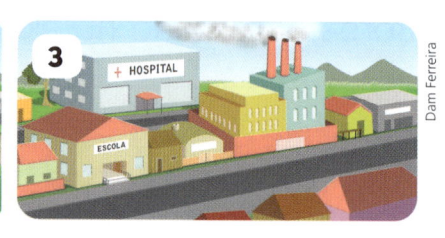

**a)** Explique qual é a mudança expressa na sequência acima.

_____

_____

**b)** As imagens mostram o mesmo lugar? O que leva você a identificar isso?

_____

_____

**c)** A imagem 2 mostra uma fábrica instalada. Que diferenças podem ser observadas entre ela e a imagem 3?

_____

_____

**d)** Mudanças como a da tirinha aconteceram em muitas cidades nas quais fábricas foram instaladas. Por que isso ocorreu?

_____

_____

_____

**2** Observe a imagem e faça o que se pede.

a) Numere na imagem, de forma sequencial, a produção industrializada do molho de tomate.

b) Pinte de verde as etapas do processo que acontecem no campo e de amarelo as que acontecem na cidade.

☐ 1   ☐ 2   ☐ 3   ☐ 4   ☐ 5   ☐ 6

c) Com base no processo industrial de produção do molho de tomate, o que se pode compreender da relação entre o campo e a cidade?

_____

_____

_____

d) Depois de pronto, onde o molho industrializado é comercializado?

_____

_____

## CAPÍTULO 3
# A história das cidades

## Retrato da minha cidade

Toda cidade pode ser descrita ou retratada de várias maneiras: em fotografias, obras de arte, desenhos, poemas e letras de músicas. As imagens a seguir retratam o mesmo local da cidade do Rio de Janeiro.

▶ Helena Coelho. *Remo da Lagoa*, 2010. Óleo sobre tela, 40 cm × 50 cm.

▶ Lagoa Rodrigo de Freitas com vista para o Morro Dois Irmãos e a Pedra da Gávea atualmente. Rio de Janeiro, Rio de Janeiro.

**1** E você, como retrataria o local onde mora? Escolha uma forma e crie sua representação.

# As cidades têm histórias

Tudo o que nos cerca tem história, inclusive as cidades. O local onde elas estão situadas, o formato das ruas e dos quarteirões, os tipos de atividades praticadas nelas, as construções, os espaços públicos e a natureza são elementos que podem ser estudados por quem deseja conhecer a história das cidades.

Um chafariz público de uma cidade, por exemplo, pode demonstrar que não havia fornecimento de água encanada aos habitantes que viveram na época em que ele foi construído, ou pode identificar um local de passagem de viajantes, que ali se abasteciam de água e davam de beber aos animais.

▶ Chafariz de São José, construído em 1749. Tiradentes, Minas Gerais.

Os formatos das construções e os materiais utilizados podem identificar os moradores, revelando se eram pessoas ricas ou não.

Cada construção ou até mesmo a ausência delas pode ser uma indicação de como a cidade era no passado. E são esses e outros indícios que, depois de estudados, fornecem informações sobre a história do local antes mesmo de ele se tornar uma cidade.

# O uso dos espaços da cidade

As cidades passam por transformações ao longo do tempo. Muitas delas podem ocorrer por causa das mudanças em relação ao uso dos espaços.

A construção de linhas de trem, meio de transporte bastante comum no início do século 20, fez parte do processo de crescimento de muitas cidades. Em alguns locais, como São Paulo, a construção de ferrovias atraiu muitos trabalhadores, que passaram a morar próximo a elas.

Ainda hoje é possível encontrar vilas operárias próximas a linhas de trem e a construções que, no passado, foram fábricas ou armazéns. Essas vilas foram construídas para os trabalhadores morarem.

A Vila dos Ingleses, localizada na região central da cidade de São Paulo, é uma delas. Ali moravam imigrantes ingleses, que trabalhavam na construção da linha de trem. Após a conclusão da obra, muitos desses trabalhadores foram morar em outro lugar e a vila passou por um processo de degradação e abandono.

No final do século 20, as antigas residências foram reformadas e restauradas para abrigar pequenos estabelecimentos comerciais. Atualmente, além de ocupada pelo comércio, a Vila dos Ingleses passou a fazer parte do patrimônio histórico da cidade de São Paulo.

▶ Casas na Vila dos Ingleses, localizada no bairro da Luz. São Paulo, São Paulo.

Observar atentamente as construções de uma cidade, além de ajudar a compreender como ela foi ocupada, nos dá a oportunidade de notar as mudanças pelas quais a região passou ao longo do tempo.

**#Digital**

## Os patrimônios da cidade

O lugar em que você mora tem uma história.

Essa história se constrói por meio das histórias das pessoas que viveram e que ainda vivem ali. A história de determinado lugar também é formada pela cultura, pelas construções e pelas paisagens da região em que se encontra.

As manifestações culturais, as construções e a paisagem são tipos de patrimônios, que podem ser históricos, culturais e naturais. Eles são elementos importantes para a história das pessoas e devem ser preservados.

▶ A festa folclórica Bumba-meu-boi. Teresina, Piauí. Exemplo da **cultura imaterial** da região.

▶ O Marco Zero na Linha do Equador em Macapá, Amapá. Exemplo da **cultura material** da região.

### Glossário

**Cultura imaterial:** toda e qualquer tradição que não é palpável, ou seja, que não se pode tocar com as mãos, não é concreta.

**Cultura material:** todo e qualquer objeto produzido pelo ser humano para uso pessoal ou coletivo.

Vamos identificar os tipos de patrimônio do lugar em que você vive?

1. Registre com fotografias exemplos de patrimônio de sua região.
2. Em folhas de papel de tamanho A4, crie um álbum: cole as fotografias e escreva uma descrição para cada uma delas, explicando por que aquele patrimônio deve ser preservado.
3. Traga o álbum para a sala de aula, troque-o com um colega e aprecie o que ele fez.

# Trabalho e lazer na cidade

As práticas de trabalho e de lazer também fazem parte da história das cidades.

Diversas atividades são desenvolvidas nelas, desde as mais tradicionais até as novas profissões, como os trabalhos relacionados ao uso de tecnologia.

As atividades tradicionais muitas vezes são passadas de pai para filho, de uma geração a outra, ou são aprendidas na prática. Os aprendizes observam os mais experientes e, com o tempo, adquirem habilidade no ofício.

Há estabelecimentos que oferecem cursos preparatórios para profissões mais tradicionais, como cabeleireiro, barbeiro, carpinteiro e outras. Já as profissões que surgiram mais recentemente costumam exigir cursos que envolvem o uso de equipamentos específicos, como computadores e outras máquinas.

▶ Alfaiate. Fotografia de cerca de 1930. Os alfaiates são exemplos de profissionais que aprendem o ofício com os mais experientes.

▶ Mulher manuseia máquina em fábrica de motores para veículos. Camaçari, Bahia.

A tecnologia também é usada em muitas formas de lazer atualmente. A popularização dos computadores, telefones celulares e de outros aparelhos possibilita acesso rápido a diferentes formas de diversão, como os jogos eletrônicos, por exemplo.

▶ Meninos jogam *video game on-line*. Colônia, Alemanha.

Outras formas tradicionais de lazer permanecem muito semelhantes às do passado. Em ambientes como parques, praças e escolas, diversos jogos e brincadeiras comuns no passado são praticados ainda hoje.

▶ Piquenique no parque Odney Common, em Cookham, Inglaterra, 1925.

▶ Pessoas tomam sol na margem do Lago Negro. Gramado, Rio Grande do Sul, atualmente.

89

# Atividades

**1** Observe a fotografia da Avenida Brasil, na cidade do Rio de Janeiro, e faça o que se pede.

▶ Avenida Brasil. Rio de Janeiro, Rio de Janeiro, 1960.

a) Explique o que você vê na fotografia.

_____

_____

b) Que informações sobre o Rio de Janeiro, em 1960, podem ser obtidas ao observarmos essa imagem?

_____

_____

**2** Observe as imagens a seguir e faça o que se pede.

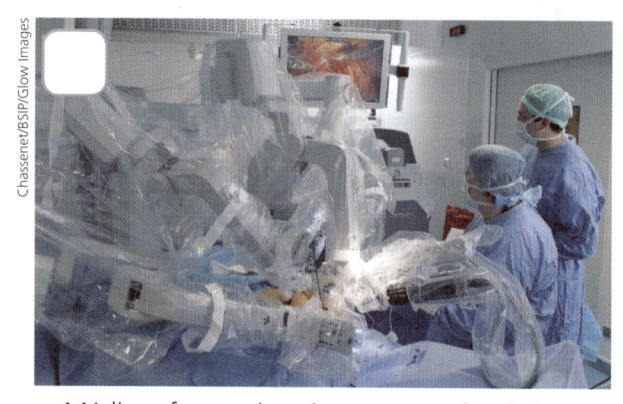

▶ Médicos fazem cirurgia com o auxílio de braços robóticos. Rouen, França.

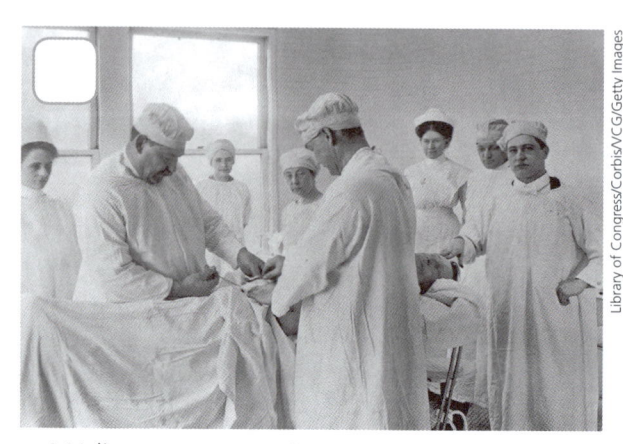

▶ Médicos operam paciente, 1910.

▶ Crianças brincam com figurinhas na calçada do bairro, São Paulo, São Paulo, 1963.

▶ Pai e filhos brincam em computador portátil, *tablet*, na sala de casa.

a) Pinte de **vermelho** os quadrinhos das imagens antigas e de **azul** os das imagens recentes.

b) As imagens retratam situações de trabalho e de lazer. Compare-as e faça um quadro em seu caderno com as semelhanças e diferenças.

**3** Observe cada imagem a seguir e escreva se ela representa um patrimônio material ou um patrimônio imaterial.

a)

b)

c)

d)

## Hora da leitura

### Um novo comércio para uma nova cidade

Com o crescimento das cidades, aumentou também o número de estabelecimentos comerciais que ofereciam serviços e produtos para os moradores.

Os jornais e revistas passaram a receber anúncios de propaganda desses estabelecimentos com o objetivo de atrair clientes.

Veja ao lado o anúncio de uma fábrica de móveis na década de 1920.

▶ Anúncio da indústria Casa Segura, publicado na revista *Fon-Fon*, n. 1, em janeiro de 1920.

**1** Em que cidade foi publicado esse anúncio?

_____

**2** Como são os anúncios nas cidades que você conhece? Quais são as semelhanças e diferenças entre eles e o anúncio que você viu acima?

**3** Escolha um produto de que você goste e que seja comum em sua região; depois crie um anúncio para divulgá-lo e vendê-lo.

## HISTÓRIA em ação

## A restauração de prédios antigos

As cidades mudam com o passar do tempo, mas alguns prédios antigos mantêm as características do período em que foram construídos. Eles podem estar em boas ou más condições.

Quando um prédio é reconhecido como patrimônio histórico, toda manutenção ou reforma a ser feita deve respeitar as principais características da construção.

Há especialistas em restauração de prédios antigos. Veja a seguir como é o trabalho desses profissionais.

1. Estudo prévio do prédio a ser restaurado.

Nesta etapa, nós fazemos um levantamento dos documentos da edificação, dos problemas dela e, em seguida, das obras a serem feitas nela.

2. Projeto de conservação.

Fazemos um projeto de restauro, com base nos levantamentos feitos anteriormente, para ser aprovado pelo Departamento do Patrimônio Histórico da cidade.

3. Execução das obras.

As obras devem respeitar a construção original. Acompanhamos o trabalho de perto para evitar alteração no projeto e demais imprevistos.

4. Manutenção e preservação.

Terminado o processo de restauro, é importante fazer a manutenção do local e deixá-lo em boas condições.

Ilustrações: Marcos de Mello

# Revendo o que aprendi

1 Observe as imagens e, em seguida, assinale no quadro as características de cada tipo de cidade.

▶ Vista aérea da cidade de Botelhos, Minas Gerais.

▶ Vista aérea da cidade de Florianópolis, Santa Catarina.

|  | Cidade 1 | Cidade 2 |
|---|---|---|
| Cidade com maior número de construções. |  |  |
| Cidade com maior área verde. |  |  |
| Cidade menor em comparação à outra. |  |  |
| Cidade maior em comparação à outra. |  |  |
| Cidade que tem o maior número de habitantes. |  |  |

2 Qual das duas cidades da atividade anterior se parece mais com a que você mora? Explique.

_____

_____

_____

94

**3** Observe o gráfico a seguir e assinale as opções corretas.

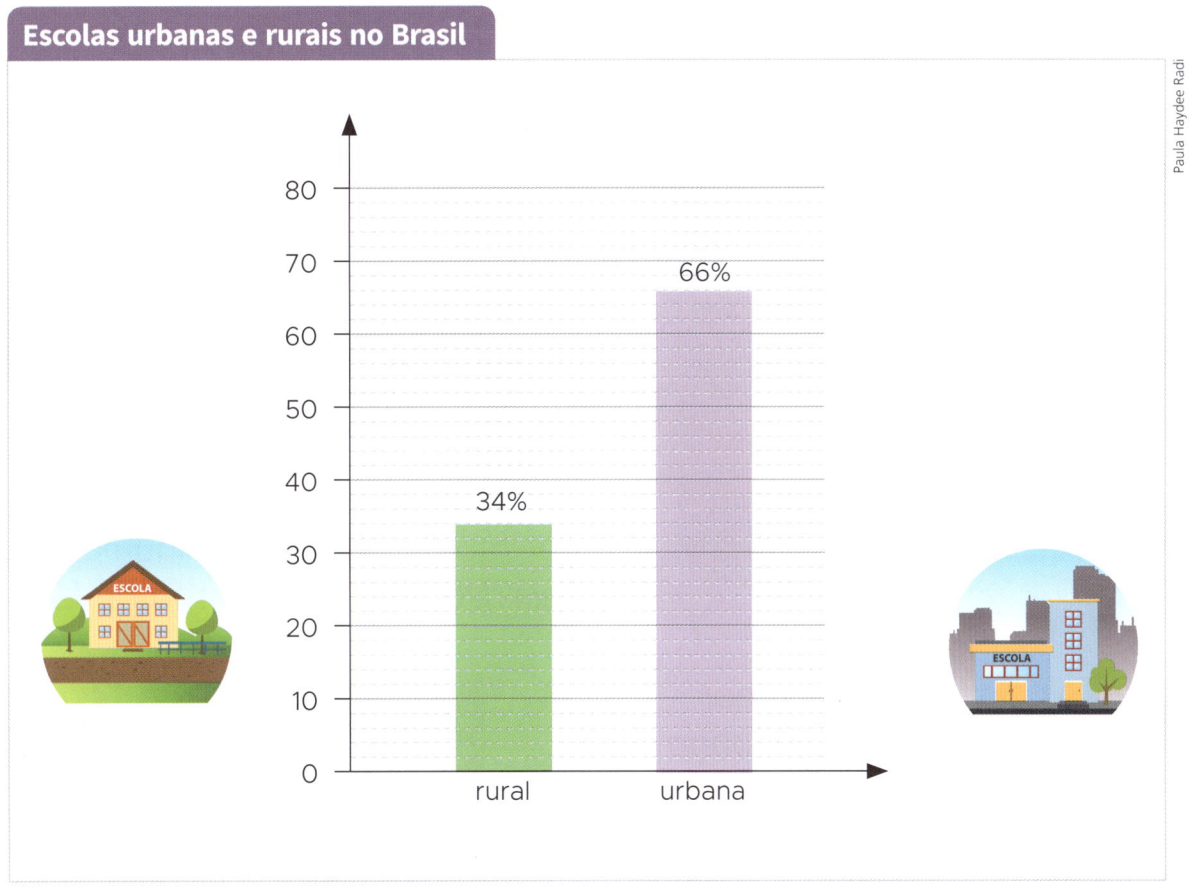

**Escolas urbanas e rurais no Brasil**

- rural: 34%
- urbana: 66%

Fonte: <http://download.inep.gov.br/educacao_basica/censo_escolar/notas_estatisticas/2017/notas_estatisticas_censo_escolar_da_educacao_basica_2016.pdf>. Acesso em: 16 abr. 2019.

a) De acordo com o gráfico, a cada 100 escolas no Brasil, 34 estão no campo e:

☐ 34 estão na área urbana.

☐ 66 estão na área rural.

☐ 66 estão nas cidades.

b) Portanto, a maioria das escolas do Brasil está:

☐ na área rural.

☐ nas cidades.

☐ no campo.

## Nesta unidade vimos

- O modo de vida em uma cidade depende das características e da forma de ocupação desse espaço.

▶ Avenida Paulista. São Paulo, São Paulo.

▶ Capela de São José. São Paulo, São Paulo, 1919.

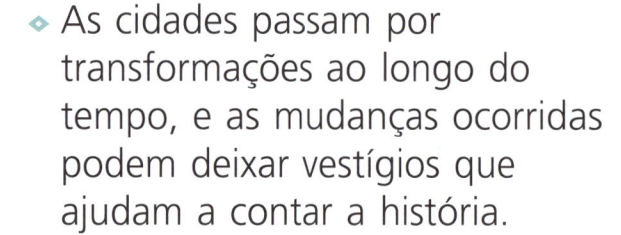

- As cidades são iniciadas e crescem por motivos diversos. Algumas são desenvolvidas no entorno de fábricas.

- As cidades passam por transformações ao longo do tempo, e as mudanças ocorridas podem deixar vestígios que ajudam a contar a história.

▶ Capela de São José. São Paulo, São Paulo.

- As cidades têm patrimônios históricos e uma história a ser contada.

▶ Fachada do Museu Republicano. Itu, São Paulo.

### Para finalizar, responda:

- Todas as cidades são formadas da mesma maneira? Explique.
- Quais são as diferenças entre cidade e município?
- De que modo é possível estudar a história das cidades?

## Para ir mais longe

### Livros

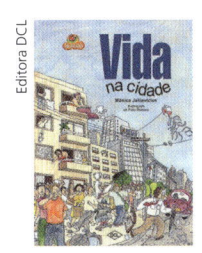

▶ **Vida na cidade**, de Monica Jakievicius (DCL).

Acompanhando o passeio de um sabiá-laranjeira pela cidade de São Paulo, a autora vai mostrando ao leitor aspectos bons e ruins da vida urbana.

▶ **O rato do campo e o rato da cidade**, de Ruth Rocha (Salamandra).

Um rato que mora no campo, maravilhado com as histórias contadas pelo primo, que vive na cidade, decide aventurar-se nela e conhece muitas novidades.

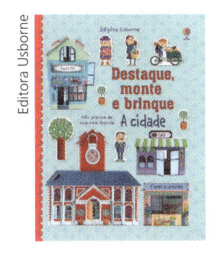

▶ **A cidade – destaque, monte e brinque**, de Fiona Watt (Edições Usborne).

Este livro repleto de peças destacáveis fornece a você material para montar a maquete de uma cidade completa e se divertir com os amigos criando cidades novas todos os dias.

▶ **Vizinho, vizinha**, de Roger Melo (Companhia das Letrinhas).

O que une e o que separa as pessoas que vivem em uma grande cidade? Essa e outras questões são abordadas de maneira divertida no livro, com base nas informações do cotidiano de moradores de um mesmo prédio da Rua do Desassossego.

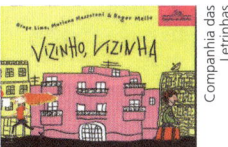

### Filme

▶ **O menino e o mundo.** Brasil, 2013. Direção: Alê Abreu, 85 min.

Com saudade do pai, um menino sai da aldeia em que vive a procurá-lo e descobre um mundo fantástico dominado por máquinas e seres desconhecidos.

# UNIDADE 4
## A organização do município

- Que espaços representados na imagem podem fazer parte de um município?
- Quais deles podem ser compartilhados por todas as pessoas e quais você considera de uso particular?
- Qual se parece com o local em que você vive?

## CAPÍTULO 1

# Vivemos no município

## O lugar onde moro

Observe a imagem a seguir e faça o que se pede.

*Desenhorama*

1 Circule na imagem a parte que mais se parece com o lugar onde você mora.

2 Que elemento essencial para a convivência no município não está representado na imagem?

# O município

Você já viu que, em nosso país, há muitas paisagens diferentes, não é mesmo?

Esse conjunto de paisagens, tanto do campo como da cidade, fazem parte dos **municípios**.

Todos os habitantes do Brasil vivem em municípios, e cada município tem características específicas. Observe:

**Glossário**

**Município:** território administrado por um prefeito e um grupo de vereadores eleitos pelos habitantes do próprio município.

▶ Centro de Parintins, Amazonas.

▶ Vista aérea da cidade de Brasília, Distrito Federal.

▶ Região central do Recife, com a Praça do Marco Zero. Pernambuco.

O município em que você vive também tem suas próprias características. Você já observou o que há em seu município?

# Os espaços públicos

No Brasil há mais de 5 560 municípios, e um é diferente do outro. Ainda assim, todos têm algumas características em comum, como uma área urbana, onde trabalham o prefeito, um conjunto de vereadores e muitas outras pessoas. Além disso, em todo município há espaços públicos, como ruas, praças e postos de saúde.

O uso de todos os espaços públicos é coletivo, ou seja, todas as pessoas, moradoras ou não da região, podem utilizá-los.

A manutenção desses espaços é tarefa dos governantes, que contratam pessoas ou empresas para diversos serviços, como limpeza, reparos e fornecimento de materiais.

# O espaço doméstico

No município, além dos espaços públicos, há espaços privados ou particulares.

Os locais de moradia são exemplos de espaços domésticos, onde as pessoas estabelecem relações entre si e satisfazem suas necessidades vitais, como alimentação, descanso e higiene.

Dentro de cada moradia, os habitantes criam suas próprias regras e formas de organização.

Há moradias em que todos os que ali vivem ajudam a cuidar do espaço. Em outras, uma ou duas pessoas são responsáveis pela manutenção. E há, ainda, moradias em que pessoas são contratadas para trabalhar nelas: são os trabalhadores domésticos.

A ilustração acima mostra pessoas realizando diferentes tarefas domésticas. Além do ambiente doméstico, a divisão de trabalhos é muito comum em outros espaços particulares, como escritórios, lojas e fábricas.

## Atividades

**1** Observe as imagens e faça o que se pede.

Ilustrações: Erik Malagrino

a) Pinte os quadrinhos que indicam os espaços domésticos.

b) Circule nas ilustrações os trabalhadores dos espaços públicos.

c) Em quais desses espaços é necessário praticar regras de convivência?

_____

_____

**2** Em trios, preencham o quadro a seguir com exemplos de espaços públicos do município onde vocês moram.

| | |
|---|---|
| Espaços de lazer e cultura | |
| Espaços de educação | |
| Locais de prestação de serviços | |

**3** Compare as duas imagens a seguir.

**Documento 1**

**Documento 2**

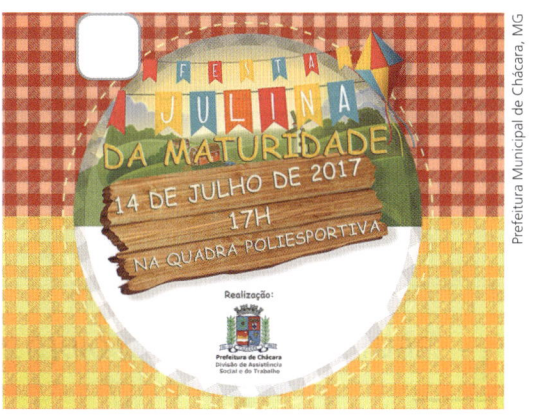

a) Pinte de **azul** o quadrinho do evento realizado em um espaço público e de **verde** o realizado em um ambiente doméstico.

b) Após o término de cada evento, quem você acha que é responsável pela organização e limpeza dos espaços utilizados?

_____

_____

## CAPÍTULO 2 — Os poderes municipais

## A administração do município

**1** Observe o tabuleiro a seguir e faça o que se pede.

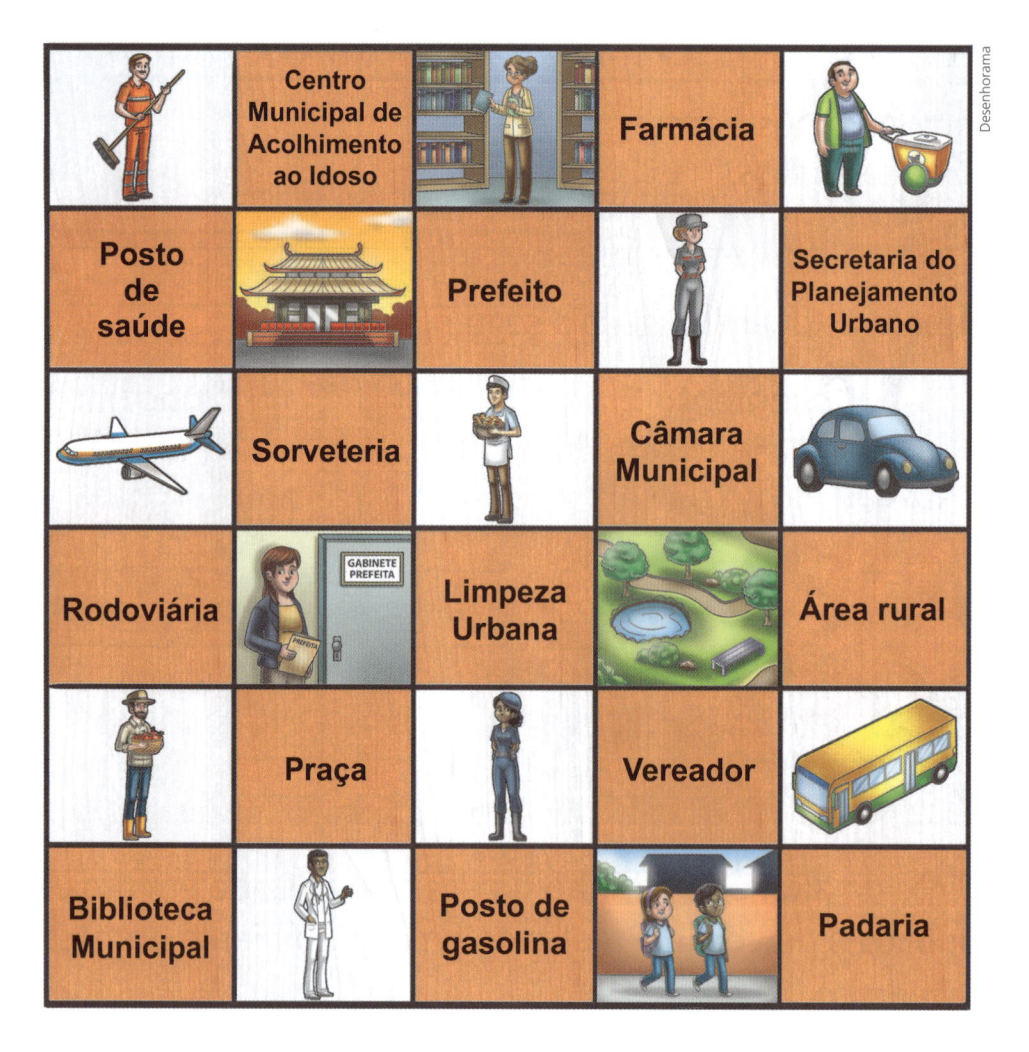

| | | | | |
|---|---|---|---|---|
| (gari) | Centro Municipal de Acolhimento ao Idoso | (biblioteca) | Farmácia | (coleta de lixo) |
| Posto de saúde | (templo) | Prefeito | (guarda) | Secretaria do Planejamento Urbano |
| (avião) | Sorveteria | (sorveteiro) | Câmara Municipal | (carro) |
| Rodoviária | (prefeita – Gabinete Prefeita) | Limpeza Urbana | (praça) | Área rural |
| (agricultor) | Praça | (policial) | Vereador | (ônibus) |
| Biblioteca Municipal | (médico) | Posto de gasolina | (estudantes) | Padaria |

a) Circule no tabuleiro as ilustrações que representam os espaços e os serviços públicos existentes em seu município.

b) Agora, grife os nomes dos responsáveis pela administração do município.

106

# Quem administra o município?

Assim como respeitamos as regras de nossa casa, devemos também respeitar as normas nos espaços públicos de convivência.

Essas regras são definidas pelo prefeito e pelos vereadores, pessoas escolhidas pela população por meio de eleições para administrar o município durante o período de quatro anos.

Os vereadores são os representantes do **Poder Legislativo**. A quantidade de vereadores eleitos depende da quantidade de habitantes de cada município.

▶ Fachada da Câmara Municipal de Acari, Rio Grande do Norte.

Os vereadores são responsáveis por:
- elaborar leis para regular a vida no município;
- fiscalizar a administração;
- aprovar as contas públicas;
- discutir as propostas de melhorias apresentadas pela prefeitura;
- apurar as **infrações** cometidas pelo prefeito e por outros vereadores.

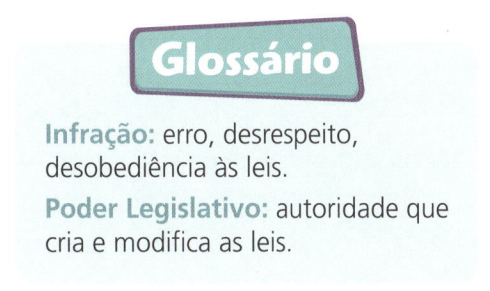

### Glossário

**Infração:** erro, desrespeito, desobediência às leis.

**Poder Legislativo:** autoridade que cria e modifica as leis.

Além dos vereadores, o prefeito é responsável por administrar o município. Atribui-se a ele a chefia do **Poder Executivo** do município.

Com o dinheiro arrecadado por meio dos **impostos**, o prefeito, com o auxílio de seus secretários e outros funcionários, deve trabalhar para atender às necessidades da população.

A função do prefeito é garantir o bem-estar dos habitantes do município, organizar os serviços públicos e fiscalizar o trabalho feito por seus secretários.

Cada uma das secretarias cuida de áreas específicas, como:

- educação;
- esporte e lazer;
- cultura;
- meio ambiente;
- transporte;
- saúde;
- moradia;
- finanças.

▶ Palácio das Seringueiras. Sede da prefeitura de Belterra, Pará.

No Brasil, prefeitos e vereadores são eleitos pelo povo por meio do voto. O voto é obrigatório para todas as pessoas com idade entre 18 e 70 anos. Para as pessoas com mais de 70 anos ou entre 16 e 18 anos, o voto é **facultativo**.

### Glossário

**Facultativo:** que pode ser feito ou não, situação na qual existe escolha e não obrigação.
**Imposto:** dinheiro transferido, de forma obrigatória, dos cidadãos para os governos.
**Poder Executivo:** autoridade que executa as leis criadas pelo Poder Legislativo e administra o Estado.

## Um pouco mais sobre

## Os três poderes

Os representantes do Poder Legislativo têm a função de elaborar leis e fiscalizar os atos dos representantes do Executivo. Vereador, deputado estadual, deputado federal e senador são os cargos do Poder Legislativo.

Aos representantes do Poder Executivo cabe a tarefa de administrar o município, o estado ou o país de acordo com os interesses do povo e com base nas leis. Assim, a principal obrigação é investir em saúde, educação, cultura e outras necessidades da população. Prefeito, governador e presidente são os cargos do Poder Executivo.

Além desses dois poderes, temos ainda o Poder Judiciário.

A função dos representantes do Poder Judiciário é solucionar conflitos com base nas leis brasileiras. Esse é o único poder cujos representantes não são eleitos.

Governo municipal

- Poder Legislativo — Vereadores
- Poder Judiciário — Juízes
- Poder Executivo — Prefeito — Vice-prefeito — Secretários municipais

Paula Haydée Radi

Os poderes Executivo, Legislativo e Judiciário são independentes entre si. Mas, cada um tem a função de fiscalizar os demais.

# Atividades

**1** Ligue os servidores públicos municipais às respectivas atribuições.

Prefeito

Elaborar as leis que regularão o dia a dia do município e fiscalizar o trabalho da prefeitura.

Vereadores

Administrar o município e garantir que os interesses da população sejam respeitados e assegurados.

**2** Como são escolhidos os governantes do município?

_____

**3** Organize no quadro a seguir as principais atribuições dos representantes dos poderes Executivo, Legislativo e Judiciário.

| Executivo | |
|---|---|
| Legislativo | |
| Judiciário | |

**4** Observe as fotografias a seguir. Depois escreva um pequeno texto identificando o problema do local e sugerindo aos governantes dessas cidades como podem agir para resolvê-lo e assim garantir o bem-estar da população.

a) Imagem 1:

▶ Rua do Mercado, no centro do Rio de Janeiro. Rio de Janeiro.

b) Imagem 2:

▶ Pessoas em frente a posto de saúde para receber vacina contra a febre amarela. Rio de Janeiro, Rio de Janeiro.

c) Imagem 3:

▶ Grande buraco no asfalto em uma rua de São Paulo, São Paulo.

# CAPÍTULO 3
## A formação dos municípios

## O município visto de cima

Esta é uma representação do município onde Gustavo mora. Observe-a e responda: Será que ele se parece com seu município?

1. Com o auxílio do professor, observe imagens de seu município visto do alto.

2. Em uma folha de papel à parte, desenhe uma representação de seu município. Se possível, inclua os seguintes elementos: o centro da cidade, a escola onde você estuda, o local onde você mora.

# História dos municípios

Como já vimos, o território brasileiro é formado por um grande número de municípios e cada um tem seus marcos históricos, ou seja, alguns acontecimentos marcantes relacionados ao início ou à fundação deles.

A história da formação dos municípios brasileiros está ligada à presença portuguesa neste território a partir de 1500. Até então, os habitantes locais eram indígenas, grupos nativos que se organizavam segundo suas tradições e costumes.

Havia grupos que viviam em aldeias fixas e outros que se deslocavam frequentemente. Os territórios indígenas não eram delimitados por leis escritas conforme temos hoje. Mas cada grupo ocupava uma área específica.

Após 1530, os portugueses passaram a fundar povoados que, mais tarde, tornaram-se vilas e cidades.

O motivo que levou à criação de cada povoado pode variar. Alguns se originaram ao redor dos engenhos de açúcar, outros em função de atividades como comércio, mineração e criação de gado.

Com o passar do tempo, até mesmo municípios planejados foram construídos. É o caso de Brasília, projetada para ser a **capital** do Brasil.

**Glossário**

**Capital:** cidade onde vivem e trabalham os governantes de um estado ou país.

▶ Fotografia aérea do município de Brasília, capital do Brasil. Inaugurada em 1960, Brasília foi construída em formato semelhante ao de um avião.

## Pesquisa histórica

**Município onde moro**

De acordo com o que estudamos até agora, todos os municípios têm suas histórias.

E você, conhece a história de seu município?

**1** Pesquise em livros e na internet a origem de seu município.

As perguntas a seguir podem orientar a pesquisa e a produção do texto.

- Quando o município foi fundado?
- Que fator determinou sua fundação?
- É um município planejado?
- Ele sempre teve o mesmo nome ou houve mudanças?
- Na opinião de vocês, qual é a principal característica do município?
- Explique o que pode ser considerado um atrativo para que pessoas venham morar em seu município.
- Que mudanças vocês percebem ao comparar as fotografias antigas do município com as recentes?

**2** Traga para a sala de aula as informações que você coletou em sua pesquisa e, em grupos, escrevam um texto coletivo contando um pouco da história do lugar onde vivem.

# A expansão do povoamento

Os primeiros povoados de origem portuguesa no continente americano surgiram no litoral. Alguns deles cresceram e se tornaram vilas. Por sua vez, algumas delas se estruturaram como cidades.

À medida que novos povoados e vilas se formaram e se tornaram cidades, eles também expandiram sua influência por ocupações menores.

Essa influência em relação às regiões próximas deu às cidades o direito de administrá-las com **autonomia**, tornando-se **sede** dos primeiros municípios brasileiros.

### Glossário

**Autonomia:** capacidade de tomar decisões sem interferência externa.

**Sede:** local em que se concentra o poder ou a administração.

▶ *Urbs Salvador*. Gravura da cidade de Salvador publicada no atlas *America*, de Arnoldus Montanus e John Ogilby, 1671.

▶ Vista da cidade de Salvador, atual capital do estado da Bahia. Fundada no século 17, a cidade cresceu bastante e se tornou uma das mais importantes da região e do país.

# Do litoral para o interior

As primeiras vilas e cidades brasileiras localizavam-se perto do litoral e influenciavam a economia e o desenvolvimento dos povoados próximos.

Em razão dessa influência, diversas práticas portuguesas foram incorporadas aos costumes dos povoados mais tradicionais, assim como as práticas indígenas influenciaram a vida nas vilas e cidades.

As imagens da página anterior são da primeira cidade do Brasil, São Salvador, atual município de Salvador, na Bahia, fundada em 1549.

O objetivo de sua fundação foi instalar a sede do governo português no Brasil. Assim foram construídas instalações para garantir a segurança e a proteção da região – por exemplo, os fortes – e casas para abrigar os órgãos da administração, a cadeia, o hospital e outras edificações públicas, além de moradias e outros espaços privados.

Por volta de 1600, como é possível observar no mapa, as vilas e as poucas cidades estavam situadas no litoral.

Nos séculos seguintes, o povoamento foi expandindo-se para o interior por diferentes razões, entre elas a criação de gado e a descoberta de ouro, até chegar à configuração que o Brasil tem hoje.

**Fundação de vilas e cidades no século 16**

- Natal (1593)
- Filipeia (1585)
- Igaraçu (1536)
- Olinda (1535)
- São Cristóvão (1590)
- Salvador (1549)
- São Jorge dos Ilhéus (1536)
- Santa Cruz (1536)
- Porto Seguro (1535)
- Nossa Senhora da Vitória (1551)
- Espírito Santo (1551)
- São Sebastião do Rio de Janeiro (1565)
- São Paulo (1554)
- Cananeia (1600)
- Santos (1534)
- São Vicente (1532)
- Nossa Senhora da Conceição de Itanhaém (1561)

1 cm : 556 km

- Áreas sob influência das cidades e vilas
- Áreas conhecidas, mas sem nenhuma cidade ou vila
- Nome e ano de fundação

Fonte: Cláudio Vicentino. *Atlas histórico: geral e do Brasil*. São Paulo: Scipione, 2011. p. 103.

# As primeiras câmaras municipais

As primeiras câmaras municipais brasileiras exerceram um papel muito importante. Elas eram formadas por três ou quatro vereadores, escolhidos entre os homens ricos da comunidade. Esses vereadores não exerciam atividades manuais e eram denominados de "os homens-bons". A eles eram destinados trabalhos **intelectuais**, em oposição ao trabalho manual desenvolvido pela grande maioria da população.

Os vereadores eram responsáveis por decidir quais obras públicas seriam realizadas – como a construção de pontes, ruas e prédios públicos –, criar as regras de funcionamento do comércio no município, administrar os gastos do dinheiro público e cuidar da preservação do **patrimônio público** e da limpeza da região.

### Glossário

**Intelectual:** relativo à inteligência.

**Patrimônio público:** conjunto dos bens de direito público ou de uso público.

▶ Fachada da Câmara Municipal de Iguape. São Paulo.

# Os grupos sociais em formação

Com a expansão das vilas e cidades, muitas atividades econômicas passaram a ser desenvolvidas no Brasil, sobretudo o cultivo de cana-de-açúcar, a mineração e o comércio. E muitas regiões se destacaram em razão do predomínio de uma dessas atividades.

A prática da atividade econômica de determinado local requeria formas de trabalho específicas, exercidas por pessoas diferentes. Isso contribuiu para que os municípios formassem populações distintas entre si.

No município de Salvador, por exemplo, a maioria dos trabalhos era feita por pessoas escravizadas na África e trazidas à força para o Brasil. Com o tempo, essa população aumentou e passou a influenciar muito as práticas culturais da região.

▶ Johann Moritz Rugendas. *Asilo de Nossa Senhora da Piedade*, em Salvador, 1821-1825. Aquarela.

Mas as atividades mudam ao longo do tempo, assim como a população. Uma forma de percebermos as mudanças é comparar imagens do mesmo local no passado e no presente.

▶ Igreja e Convento de Nossa Senhora da Piedade, na Praça da Piedade. Salvador, Bahia.

## Direto da fonte

Analise os documentos abaixo para fazer as atividades propostas.

### Documento 1

No ano de 1980 o Brasil possuía 3.974 municípios. Entre aquele ano e [1988 houve] a instalação de 173 novos municípios. Até 1990 haviam sido criadas mais 315 novas unidades. No ano 2000 esse total passou para 5.506 [...]

Adilar Antonio Cigolini. Ocupação do território e a geopolítica da criação de municípios no Período Colonial brasileiro. *Boletim Gaúcho de Geografia*, 38, p. 54, maio 2012.

### Documento 2

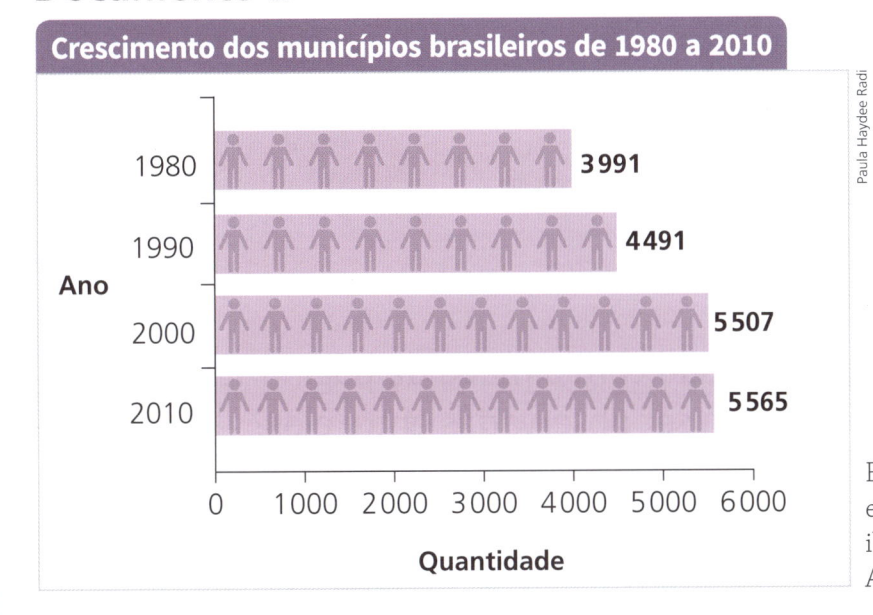

**Crescimento dos municípios brasileiros de 1980 a 2010**

| Ano | Quantidade |
|---|---|
| 1980 | 3 991 |
| 1990 | 4 491 |
| 2000 | 5 507 |
| 2010 | 5 565 |

Fonte: IBGE. Disponível em: <https://censo2010.ibge.gov.br/sinopse/>. Acesso em: 16 abr. 2019.

**1** O que o documento 1 informa sobre o processo de formação dos municípios brasileiros ao longo das últimas décadas?

**2** Observe e compare o documento 1 com o documento 2.

a) Os dois documentos fornecem as mesmas informações? Como você chegou a essa conclusão?

b) Há alguma informação do documento 2 que não aparece no documento 1? Qual?

# Atividades

1. Observe o mapa e responda às perguntas.

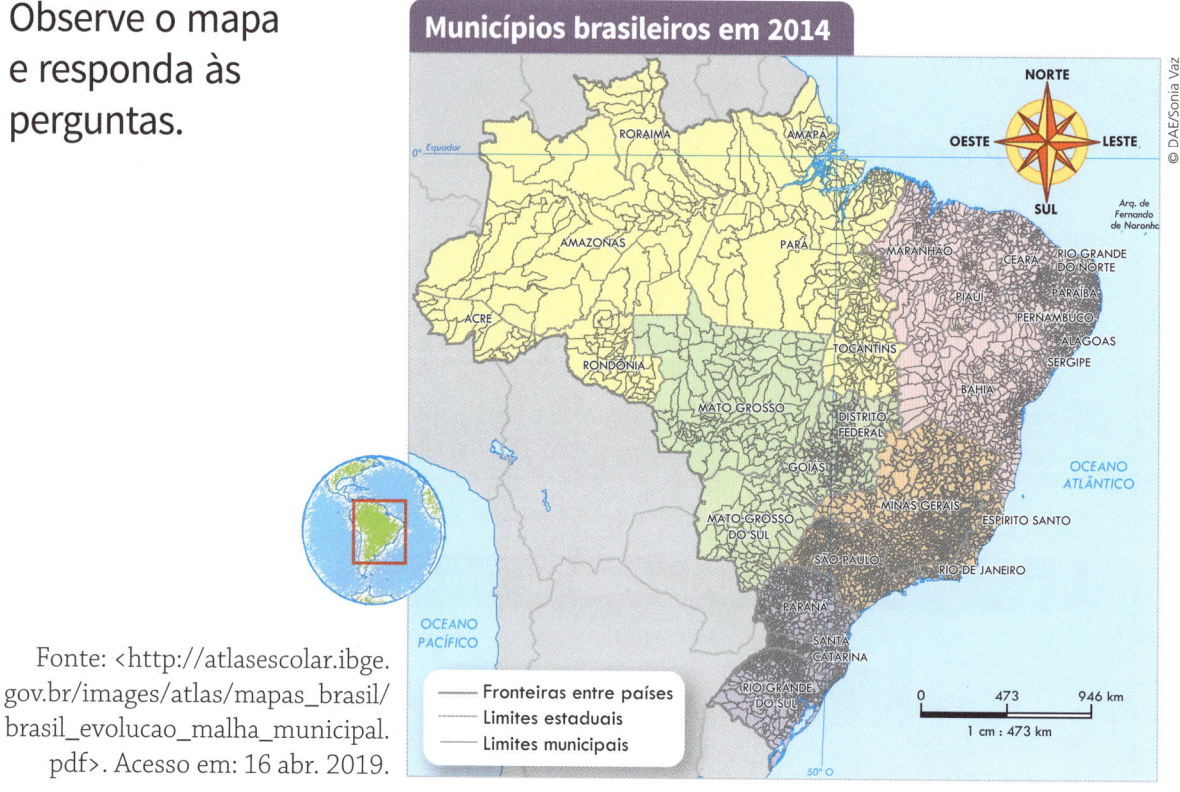

**Municípios brasileiros em 2014**

Fonte: <http://atlasescolar.ibge.gov.br/images/atlas/mapas_brasil/brasil_evolucao_malha_municipal.pdf>. Acesso em: 16 abr. 2019.

a) O que o mapa mostra?

b) Compare o mapa ao lado com o mapa da página 116 e responda: Que mudanças podem ser observadas entre eles?

2. Observe o quadro abaixo, circule algumas das atribuições dos primeiros vereadores das cidades e faça o que se pede.

> Decidir sobre a construção de obras públicas.
> Administrar os gastos do dinheiro público.
> Cuidar pessoalmente da manutenção do município.

◆ Em sua opinião, na atualidade, o trabalho dos vereadores mudou em relação ao que os primeiros vereadores faziam? Explique.

_____

_____

**3** Leia o texto e responda às perguntas.

> Os nomes das ruas e bairros de Salvador colonial, batizados pelos moradores da época, contam a história desse passado distante. O tão conhecido bairro da Liberdade já foi o Caminho das Boiadas, assim denominado por passar por aquele lugar todo o gado que vinha do sertão da Bahia para ser abatido nos currais da cidade. A rua Chile era a rua dos Mercadores, porque concentrava grande número de pequenas e grandes lojas.
>
> Algumas ruas permanecem com o mesmo nome, cujo significado vem de muito tempo atrás. [...] A Baixa do Sapateiro foi assim apelidada porque era o lugar onde estava concentrado grande número de artesãos desse ofício.
>
> [...] Temos ainda o Campo da Pólvora, que recebeu essa denominação por ser, no século XVII, o lugar destinado ao refinamento de pólvora, e a Barroquinha, cuja origem está numa pequena barroca causada por fortes chuvas.
>
> Avanete Pereira de Sousa. *Salvador, capital da colônia.* São Paulo: Atual, 1995. p. 28.

**a)** Como eram escolhidos os nomes de ruas e bairros de Salvador?

_____
_____
_____

**b)** É possível estudar a história local por meio dos nomes de ruas, praças e outros? Explique.

_____
_____
_____
_____

# Hora da leitura

## A importância das leis

É importante que as regras sejam cumpridas em casa, na escola e nos demais lugares que frequentamos. Elas são estabelecidas entre as pessoas para que a convivência seja harmoniosa.

Nos municípios também há regras que todos devem respeitar. Essas regras são estabelecidas em forma de leis.

**Para que servem as leis?**

– Você sabe o que eu sonhei esta noite?

– Claro que não! Só vou saber se você me contar.

– Sonhei que andava pelas ruas de uma cidade em que os automóveis estacionavam de qualquer jeito, parados no meio da rua, os que estavam andando passavam por cima das calçadas, nos cruzamentos todos queriam atravessar ao mesmo tempo e o resultado era que ninguém conseguia passar.

– Que horror de cidade!
[...]

– E que outras barbaridades havia?

– Às vezes eu entrava em uma avenida e tinha logo que voltar atrás, porque alguém havia resolvido construir uma casa, com jardim e tudo, bem no centro dela. [...]

Luiz Maria Veiga. *Para que servem as leis?* São Paulo: Livros do Tatu, 1991. p. 4-5.

1. O que há de incomum na cidade sonhada pelo personagem?

2. O que poderia ser feito nessa cidade para que os casos relatados não prejudicassem a vida dos moradores?

# HISTÓRIA em ação

## Mapas são fontes históricas

Os mapas vêm sendo produzidos há muito tempo. Diversas regiões do mundo passaram a ser mais conhecidas por causa do uso deles. Assim, à medida que o conhecimento sobre o espaço aumentava, mais informações passavam a ser representadas nos mapas.

Os mapas são bastante estudados pelos geógrafos e também despertam o interesse de historiadores.

Vamos conhecer algumas possibilidades de estudo dos mapas pelos historiadores?

▶ Sebastian Münster. *As maravilhas do mar*, c. 1544. A ilustração de monstros marinhos nos mapas indicava o medo do desconhecido.

### ◆ Os valores da época

Os historiadores estudam mapas porque eles os ajudam a compreender o modo de vida e de pensar das pessoas na época em que foram elaborados.

### ◆ As transformações sociais

A observação de um mapa como registro do passado histórico fornece pistas sobre as motivações das pessoas que o elaboraram e o contexto histórico no qual foi produzido.

### ◆ Os processos históricos

Os historiadores comparam mapas elaborados em épocas diferentes e assim podem entender mudanças ocorridas em determinado local ao longo dos anos.

### ◆ Definição das fronteiras

As fronteiras de países, estados e municípios são estabelecidas ao longo do tempo. Mapas antigos mostram como eram as fronteiras no passado até chegar ao estágio atual.

# Como eu vejo

## As necessidades do município

Os governantes de um município têm o dever de oferecer espaços públicos à população e de fazer a manutenção deles. Há muitas formas de ocupar esses espaços, e é dever de toda a comunidade preservá-los e mantê-los organizados.

1. Circule de **azul** o local onde o prefeito trabalha e de **verde** onde os vereadores trabalham.

2. Escreva nos espaços adequados os problemas indicados pelas setas para que o governante possa resolvê-los.

# Como eu transformo

## Estudando meu município

Ciências — História — Geografia — Arte — Língua Portuguesa

**O que vamos fazer?**
Um estudo do meio.

**Com quem fazer?**
Com os colegas, o professor e a comunidade.

**Para que fazer?**
Para desenvolver atitudes responsáveis e ativas diante de situações do cotidiano.

**Como fazer?**

1. Reúna-se com três colegas e, juntos, procurem informações sobre os prédios em que estão sediados serviços públicos da cidade onde moram. Exemplos: a que o prédio se destina, quais profissionais trabalham lá, a quantidade de pessoas atendidas diariamente etc. Em seguida, localizem esses lugares no mapa que o professor levará para a sala de aula.

2. Com o apoio do professor e seguindo as orientações dele, vocês farão uma visita a alguns desses locais.

3. Durante a visita, registrem todas as informações que julgarem importantes.

4. De volta à sala de aula, comparem seus registros com os dos outros grupos e verifiquem se há alguma informação diferente.

5. Organizem, com o professor, um debate para analisar o que viram e deem sugestões de ações que a comunidade pode realizar para a melhoria dos locais visitados.

6. Elaborem cartazes com essas sugestões de ações e os colem em lugares movimentados da escola.

Como foi sua experiência?

## Revendo o que aprendi

**1** Complete o diagrama de palavras. Faça como no exemplo.

1. As ... são as regras de convivência do município.
2. O ... é administrado por um prefeito e um grupo de vereadores.
3. O ... governa o município.
4. Os ... são responsáveis pela elaboração das leis do município.
5. O poder ... tem a função de elaborar leis para atender a população.
6. Administrar com base nos interesses da população e nas leis é função do poder ....
7. O poder ... soluciona conflitos com base na legislação.

1. L E I S   M U N I C I P A I S

**2** Considerando que um prefeito deve visar à melhoria das condições de vida de toda a população do município que administra, responda às questões a seguir e justifique suas respostas.

a) Se você fosse prefeito ou prefeita do município onde mora, que mudanças faria?

_____

_____

_____

b) Em que tipos de obras investiria?

_____

_____

_____

**3** Observe o município de Pequeninos e faça o que se pede.

128

a) Podemos definir Pequeninos como um município predominantemente:

☐ rural.   ☐ urbano.

- Justifique sua resposta.

_____

_____

b) Que elemento encontrado em Pequeninos pode identificar uma atividade econômica predominante do município? Justifique.

_____

_____

c) Circule na ilustração os serviços que o município de Pequeninos oferece.

d) Em sua opinião, esse município aparenta ter boa infraestrutura? Justifique.

_____

_____

e) Se você fosse prefeito ou prefeita desse município, quais mudanças faria? Justifique sua resposta.

_____

_____

_____

_____

_____

## Nesta unidade vimos

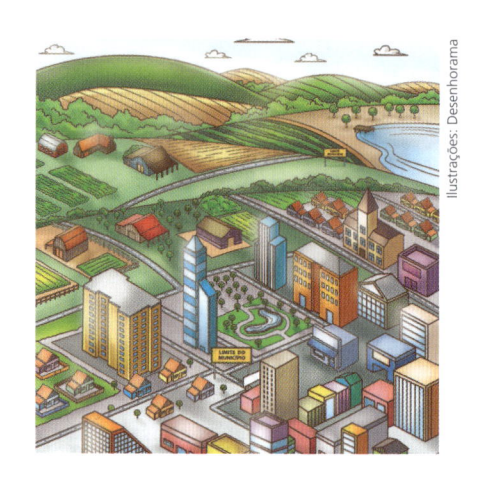

- Nos municípios há espaços privados e espaços públicos.
- Os municípios são as menores divisões político-administrativas do território brasileiro. Muitos deles são formados por uma área urbana e por uma área rural. 
- Municípios são administrados por prefeitos e vereadores eleitos pelo povo e com mandato de quatro anos.
- No Brasil, a governança é dividida em três poderes: Executivo, Legislativo e Judiciário.

Governo municipal
- Poder Legislativo — Vereadores
- Poder Judiciário — Juízes
- Poder Executivo — Prefeito — Vice-Prefeito — Secretários

### Para finalizar, responda:
- Qual é a importância de administrar bem os municípios?
- Para que servem as leis municipais?
- Qual é a importância de distinguir espaços domésticos de espaços públicos em um município?

## Para ir mais longe

### Livros

▶ **Cidades brasileiras: do passado ao presente**, de Rosicler Martins Rodrigues (Moderna).

A autora conta a história da formação das cidades brasileiras e mostra as mudanças ocorridas nelas ao longo dos séculos. Ela também chama a atenção para os problemas que os moradores das cidades enfrentam todos os dias.

▶ **São Paulo: de colina a cidade**, de Amir Piedade (Cortez).

O autor relembra a história da cidade de São Paulo: descreve toda a evolução, desde o surgimento, com a colina que a originou, até atualmente. Por meio das ilustrações, fotografias e obras de arte, ele faz um paralelo entre passado e presente.

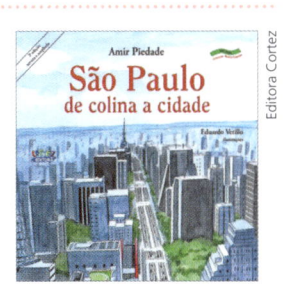

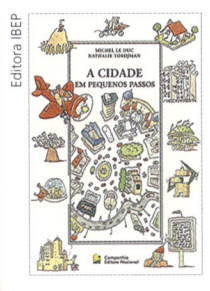

▶ **A cidade em pequenos passos**, de Michel Le Duc e Nathalie Tordjman (Ibep).

Conheça a história das cidades no mundo por meio de diferentes temas. Entenda por que vivemos em cidades, os motivos que levam à formação de algumas delas, a relação entre economia e cidade, entre outros.

▶ **Cacoete**, de Eva Furnari (Ática).

Cacoete era uma cidade com uma organização especial, as regras eram únicas e todos as seguiam. Até que algo inesperado aconteceu e mudou tudo para sempre.

### Site

▶ **IBGE Cidades:** <https://cidades.ibge.gov.br/>.

Encontre, nesse *site*, informações sobre todos os municípios brasileiros.

## Atividades para casa

**Unidade 1**

**1** Observe os desenhos e escreva o nome das comunidades representadas. Depois, pinte aquelas das quais você faz parte.

_____     _____

**2** Escreva **V** para verdadeiro e **F** para falso sobre a vida em comunidade.

☐ O ser humano não consegue viver totalmente sozinho.

☐ Cada um de nós convive em uma comunidade apenas.

☐ A escola não é uma comunidade.

☐ Os colegas de sala de aula, os professores e demais funcionários da escola formam nossa comunidade escolar.

☐ Para conviver bem em comunidade é preciso respeitar a todos.

**3** Assinale as frases que indicam ações relacionadas à boa convivência entre as pessoas.

☐ Responder gritando.              ☐ Não ouvir os outros.

☐ Agradecer sempre.                ☐ Respeitar os outros.

☐ Pedir sempre "por favor".        ☐ Pedir desculpas.

**4** Desenhe quatro comunidades das quais você participa.

**5** Escolha um morador antigo de seu bairro e entreviste-o. Faça as perguntas a seguir e registre as respostas no caderno.

- Qual é seu nome e qual sua idade?
- Há quanto tempo você mora neste lugar?
- Quais são as principais lembranças que você guarda da época em que veio morar aqui?
- Quais foram as principais mudanças ocorridas no bairro?
- Você sente saudade das antigas características do bairro? Quais?
- Traga o resultado da entrevista para a sala de aula e mostre aos colegas. Depois, todos devem escrever no caderno as semelhanças e diferenças entre os apontamentos feitos pelos entrevistados e as características atuais do lugar.

**6** De que forma nossos objetos pessoais ajudam a construir nossa história?

_____

_____

**7** Volte ao relato da página 21 e responda:

a) Quais informações sobre a história pessoal de Amadeu podem ser coletadas nesse depoimento?

_____

_____

b) Quais partes do relato dele podem ser utilizadas para entendermos a história da comunidade?

_____

_____

# Unidade 2

1 Observe a ilustração a seguir e faça o que se pede.

a) Circule os elementos que são típicos de uma grande propriedade rural.

b) Explique como esses elementos interferem na produção.

_____

_____

2 Explique a diferença entre uma pequena propriedade rural familiar e uma grande propriedade rural empresarial.

_____

_____

_____

_____

**3** Complete a frase a seguir com as palavras do quadro.

> tradições    comunidades indígenas    costumes    Brasil

São consideradas _____ o conjunto de pessoas que têm relações de vizinhança e parentesco, descendem dos povos que habitavam originalmente as terras que hoje formam o _____ e mantêm alguns _____ e _____ de seus antepassados.

**4** Complete o texto a seguir trocando os desenhos pelo nome deles e você saberá como os indígenas explicam a importância da língua para as comunidades.

A LÍNGUA de um povo é que dá nome para todas as coisas.

Dá nome para 🐟 _____

Dá nome para bicho. [...]

Nome para ☀️ _____, nome para 🌙 _____

Nome para ⭐ _____ [...]

Dá nome para as 👥 _____ [...]

Dá nome para tudo.

Eunice Dias de Paula, Luiz Gouvea de Paula e Elizabeth Amarante. *História dos povos indígenas: 500 anos de luta no Brasil*. 7. ed. Petrópolis: Vozes; Cimi, 2001. p. 62.

**5** Forme um trio com colegas e, juntos, pesquisem informações sobre uma das manifestações quilombolas a seguir.

- Folia de Reis
- Congada
- Maracatu

Após a pesquisa, montem um cartaz explicativo e o exponham na sala de aula.

**6** Com base no que você aprendeu, elabore uma página de um cordel. Nela, você pode desenhar uma única cena ou compor uma pequena história que conte como é a vida do sertanejo.

**Unidade 3**

1. Pensando no município onde você mora, faça o que se pede a seguir.

   a) Escreva o nome do município:

   _____

   b) Em geral, nos municípios há vários espaços que os moradores podem utilizar. Pinte os espaços que existem em seu município e que você conhece ou frequenta.

| | | |
|---|---|---|
| papelaria | oficina mecânica | salão de beleza |
| hospital | bar | loja de roupas |
| pizzaria | faculdade | clube |
| banca de jornal | quitanda | *pet shop* |
| unidade de saúde | farmácia | açougue |
| loja de calçados | igreja | lavanderia |
| banco | escola | loja de veículos |
| *shopping center* | cinema | academia |
| padaria | borracharia | posto de combustível |
| supermercado | correio | estacionamento |
| templos religiosos | chaveiro | feira livre |

**2** Com ajuda de um adulto, pesquise a quantidade de pessoas que vivem na área rural e na área urbana de seu município e elabore um gráfico como o da página 69.

**3** Pesquise e cole no espaço a seguir a imagem de uma fábrica no Brasil. Depois faça o que se pede a seguir considerando as informações sobre essa fábrica.

a) Cite o tipo de fábrica: _____.

b) Descreva a importância desse tipo de fábrica para as pessoas: _____.

c) Levante hipóteses de como essa fábrica pode ter transformado a paisagem no local onde foi instalada.

**4** Observe as fotografias da Avenida Paulista a seguir, bastante conhecida do município de São Paulo, e responda às questões.

▶ Guilherme Gaensly. Avenida Paulista, São Paulo, 1902.

▶ Vista aérea da Avenida Paulista atualmente. São Paulo, São Paulo.

a) As fotografias são do mesmo período? Como você chegou a essa conclusão?

_____

_____

_____

b) Quais elementos mudaram?

_____

_____

_____

c) O que continua igual ou é semelhante nas fotografias?

_____

_____

# Unidade 4

1. Cite quatro espaços públicos do lugar em que você vive.

   _____

   _____

   _____

   _____

2. Nos quadros a seguir, ilustre dois espaços domésticos.

**3** Converse com um adulto que mora com você sobre as informações a seguir ou as pesquise em *sites*, jornais e revistas.

a) Nome do prefeito do município onde você mora.
_____

b) Nome do governador do estado onde você mora.
_____

c) Uma obra pública que cada um deles realizou.
_____
_____

d) Há quanto tempo cada um deles está no cargo.
_____

**4** Escreva um pequeno texto que diferencie espaços públicos de espaços domésticos.
_____
_____
_____
_____

**5** Quem é o responsável por administrar o município?
_____

**6** Qual é o nome dado às regras de convivência do município?
_____

**7** Leia as frases a seguir e indique se elas se referem a um dever ou a um direito do cidadão.

   a) Não pichar patrimônio público e não danificar praças, parques e transportes coletivos.

   ☐ dever    ☐ direito

   b) Ninguém pode ser obrigado a trabalhar por períodos muito longos. É preciso respeitar um período de descanso e lazer.

   ☐ dever    ☐ direito

**8** Onde foram fundadas as primeiras povoações portuguesas no Brasil?

_____

**9** Observe o mapa da página 116 e complete as informações a seguir.

   a) A primeira vila fundada no Brasil foi _____, no ano de 1532.

   b) Em 1554 foi fundada _____, a primeira vila fora do litoral.

   c) Em 1600 já havia no Brasil _____ povoações entre vilas e cidades.

**10** Observe as imagens da página 118 e responda:

   a) As imagens são do mesmo local? Como você descobriu?

   _____

   b) Quanto tempo se passou entre uma imagem e outra?

   _____

   c) É possível que esse local ainda tenha no presente a mesma função que tinha no passado?

   _____

# Datas comemorativas

## Páscoa

A Páscoa é uma festa religiosa cristã que celebra a **ressurreição** de Jesus Cristo. Essa festa acontece em um domingo entre 22 de março e 25 de abril, e nessa data é costume oferecer ovos de chocolate.

O ovo é um símbolo da Páscoa, porque representa o nascimento, uma vida nova. Antigamente, as pessoas se presenteavam com ovos de verdade, pintados com tinta colorida. Depois, esses ovos passaram a ser de porcelana, vidro, pedra, madeira e papel, até chegar ao chocolate.

Outro símbolo da Páscoa é o coelho, porque esse animal representa a **fertilidade**, já que pode ter muitos filhotes.

**Glossário**

**Fertilidade:** capacidade dos seres vivos de se reproduzirem.
**Ressurreição:** renascimento; retorno da morte para a vida.

**1** O coelhinho da Páscoa escondeu vários ovos. Você é capaz de encontrá-los?

◆ Quantos ovos você encontrou? _____

# Dia do Índio – 19 de abril

Quando os portugueses chegaram às terras que hoje formam o Brasil, encontraram diferentes povos e chamaram a todos de índios.

Tanto o primeiro contato com eles quanto a relação que se estabeleceu depois foram marcados pelo desrespeito e pela exploração desses povos pelos portugueses.

Em 1940, com o objetivo de discutir a situação dos povos indígenas, foi realizado no México o Primeiro Congresso Indigenista Interamericano. Além das autoridades governamentais dos países da América, foram convidados líderes indígenas do continente. Após o fim do congresso, entre várias resoluções aprovadas, ficou determinado que, nos anos seguintes, sempre no dia 19 de abril, os governos americanos comemorariam o Dia do Índio, no qual seriam promovidas ações de valorização da cultura indígena e discutidos os direitos desses povos.

▶ Indígenas da etnia macuxi da aldeia Raposa 1 dançam parixara. Terra Indígena Raposa Serra do Sol, Normandia, Roraima.

Atualmente foi reconhecido o direito de os povos indígenas brasileiros viverem de acordo com suas crenças, seus costumes, suas línguas e tradições em terras que pertencem legalmente a eles.

Vale lembrar que existem populações indígenas em cerca de 70 países e, por isso, a Organização das Nações Unidas (ONU) instituiu, em 1994, que a data de 9 de agosto seria celebrada mundialmente como um dia para valorizar a riqueza das culturas indígenas e incentivar a reflexão sobre os problemas enfrentados por esses povos.

▶ Indígenas panamenhos em atividade comunitária. Parque Nacional Chagres, Panamá.

**1** Troque os símbolos por letras e descubra a mensagem.

[oca] – ca + s

pov + [coco] – coc

[índia] + s

mere + [cuia] – uia + em

r + [esteira] – teira + [cocar] – teca + ito.

S + [peixe] – peix + us

[cocar] – car + stu + [milho] – ilho + es,

s + [arco] – rco + beres e

[canoa] – anoa + ultura

devem + [mandioca] – andioca se + [rede] – ede

val + [chocalho] – chocalh + rizados.

_____

_____

_____

# Dia do Estudante – 11 de agosto

O Dia do Estudante é comemorado em 11 de agosto. Essa data foi escolhida para lembrar que, em 11 de agosto de 1827, foram criados os dois primeiros cursos superiores no Brasil: um em São Paulo e outro em Pernambuco.

Essa data é importante porque a educação está entre os direitos das crianças assegurados pela Declaração Universal dos Direitos da Criança.

Todo estudante também precisa cumprir alguns deveres, como ser atencioso nas aulas, fazer as tarefas escolares, respeitar os colegas, professores e funcionários, e aproveitar para aprender sempre mais.

▶ Estudantes em aula de Arte.

1. Atualmente, usamos o lápis ou a caneta esferográfica para escrever. Antigamente, as pessoas utilizavam uma pena com ponta de metal, que precisava ser molhada no pote de tinta para que a mensagem ficasse registrada. Depois de escrever, era necessário secar o texto com um pedaço de papel para evitar que a tinta borrasse. Pinte os espaços marcados por um ponto para ver como era esse material escolar.

# Dia do Folclore – 22 de agosto

No dia 22 de agosto é comemorado o Dia do Folclore.

Folclore é o conjunto de manifestações que fazem parte da cultura de um povo.

Essas manifestações se expressam por meio dos costumes locais (festas, jogos etc.), das narrativas tradicionais (contos populares, lendas, canções etc.), das crenças (astrologia, superstições etc.) e da linguagem popular (ditos populares, provérbios, refrões, adivinhas etc.).

O folclore brasileiro é muito rico. Veja a seguir algumas expressões dele.

▶ Artesanato típico da cidade histórica de Antônio Prado, Rio Grande do Sul.

▶ Tacacá, prato típico da região amazônica, preparado com caldo de tucupi, camarão e jambu. Manaus, Amazonas.

1. Que tal fazer uma dobradura para representar um personagem do folclore brasileiro? Siga as orientações e descubra quem ele é.

**Material:**

- um quadrado de papel branco com 10 centímetros de lado;
- lápis de cor ou giz de cera nas cores vermelha, marrom e preta.

**Como fazer**

1. Dobre o papel ao meio e desdobre-o para fazer uma marca.
2. Abra o papel e mantenha-o na mesma posição. Dobre as duas pontas externas em direção ao centro.
3. Dobre a parte superior.
4. Desenhe os olhos, o nariz e a boca, e pinte a dobradura.

Descobriu quem é o personagem? Então, escreva o nome dele.

_____

**Encartes**

**Tabuleiro para o jogo da página 8.
Trilha da convivência**

No bairro onde Lucas mora há coleta de lixo reciclável. Todos os vizinhos colaboram separando esse tipo de lixo do lixo orgânico. Pela boa convivência, avance 2 casas.

INÍCIO

2　3　4

Perto da casa de Laura há uma praça com brinquedos públicos, mas eles são quebrados com frequência. O desrespeito ao patrimônio público causa prejuízos a todos. Recue 2 casas.

Na escola de Bruna, alunos e professores se reuniram para reformar a área de lazer e plantar uma horta comunitária. Assim, todos colaboram para que a escola seja um espaço agradável e trabalham juntos para garantir uma alimentação mais saudável. Pela experiência de vida em sociedade que você observou, avance 2 casas.

6

7　8

150

Na comunidade de Sara, vivem muitas famílias que cultivam os próprios alimentos em pequenas propriedades. Na época do plantio ou da colheita, é comum as famílias ajudarem umas às outras com o trabalho. Para representar a solidariedade e cooperação entre as famílias, vá direto para a linha de chegada!

CHEGADA

20  18

17

Todos os anos, os vizinhos de Marcela organizam, juntos, uma festa junina. Eles se reúnem para preparar a decoração, as brincadeiras e as comidas típicas para o dia da festa. É um evento em que todos trabalham e se divertem juntos. Para comemorar a cooperação de todos, avance 2 casas.

QUITANDA

12  13  14  15

10  11

FARMÁCIA

151

# Peças para a atividade da página 76.

Ilustrações: Erik Malagrino

**Recortar**

# Peças para a atividade da página 68.

Recortar

# Peças para a atividade da página 34.

Recortar

**Peças para a atividade da página 38.**

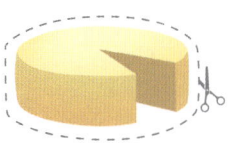

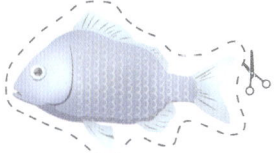

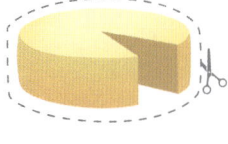

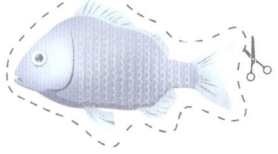

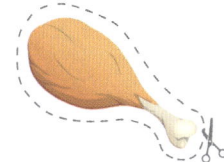

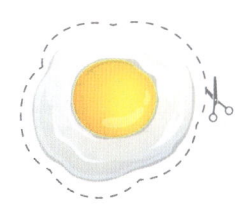

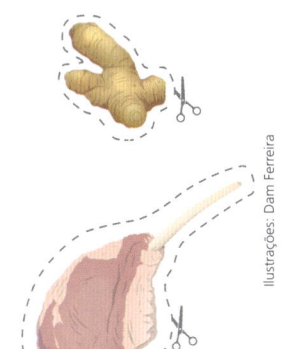

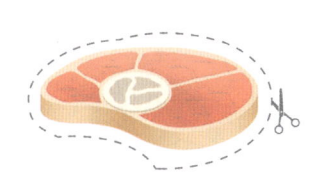

Recortar

**Peças para a atividade da página 20.**

Recortar